PUISQUE TOUT PASSE

DU MÊME AUTEUR

BALLADUR, Flammarion, 1993.
L'INSTITUTRICE, *roman*, Plon, 1997.
À QUOI BON SOUFFRIR?, *roman*, Plon, 2001.

CLAIRE CHAZAL

PUISQUE TOUT PASSE

Fragments de vie

BERNARD GRASSET
PARIS

ISBN : 978-2-246-81753-6

Pour F.

Passons, passons, puisque tout passe,
Je me retournerai souvent.

APOLLINAIRE

Solitudes

Pourquoi pense-t-on si mal la nuit ? Et particulièrement dans ces heures grises du petit matin ? Comme si tout basculait. Quelques minutes parfois suffisent. Le jour pointe et les idées noires se bousculent, dans le désordre. C'est le creux, c'est l'enfer, comme le fond d'un trou d'air. Je ne vois plus rien alors. J'ai beau chercher, me raccrocher aux petits faits doux de la journée passée, ou de la matinée à venir, rien ne scintille, ni ne brille, tout s'éteint, je réfléchis de travers, je ne vois plus que le négatif de la photo... *Et pourtant, quelle chance tu as dans la vie, Claire, les choses te sourient, non ?* Sans doute... mais mes mains vieillissent, elles ressemblent à celles de ma mère – où est-elle maintenant ?

Je repense au livre de Christine Angot, *Un amour impossible*. Il m'avait bouleversée à l'époque. L'histoire de cette mère seule avec sa petite fille qui sera violée par le père ; l'histoire aussi de la petite Christine qui, devenue grande, incapable d'envisager la vie avec douceur, et pour cause, se retrouve seule avec sa propre fille (c'est du moins ce que j'imagine). La mort du père a peut-être permis une écriture apaisée, malgré l'impensable souffrance.

Dans *Écrire*, Marguerite Duras nous éclaire : « Il y a ça dans le livre : la solitude y est celle du monde entier. Elle est partout. Elle a tout envahi. Je crois toujours à cet envahissement. Comme tout le monde. La solitude, c'est ce sans quoi on ne fait rien. Ce sans quoi on ne regarde plus rien (...) Dès que l'être humain est seul il bascule dans la déraison. Je le crois : je crois que la personne livrée à elle seule est déjà atteinte de folie parce que rien ne l'arrête dans le surgissement d'un délire personnel. »

La solitude. Parce qu'on a oublié le goût de l'amour. Parce qu'on a oublié que le cœur peut s'arrêter pour l'autre, que plus rien n'existe alors, qu'à la souffrance se mêle le désir, que malgré l'incompréhension et l'étrangeté, l'intimité animale emporte tout.

La solitude. Quand plus personne ne vous espère, ni n'exprime l'envie absolue, voire destructrice, de vous retrouver et de vous étreindre...

La solitude de l'enfant que la mère ne regarde pas, que le père a oublié, et qui, en vain, quémande une caresse...

La solitude de la mère face à son enfant, tête-à-tête oppressant, gestes mécaniques parce qu'il faut bien nourrir et faire dormir le petit, tristesse de ne pas savoir, même si la tendresse est au fond du cœur. Incapacité, peur : on ne se comprend pas forcément entre une mère et un fils – le bébé a l'air grave, et elle si inquiète...

La solitude de ces familles sur la route de l'exode, la solitude de ces jeunes hommes maigres et hagards, entassés sur des bateaux qui n'atteindront pas leur destination de l'autre côté de la Méditerranée.

La solitude de mon père qui cherche ma main, las d'être à l'hôpital, il n'en a plus pour longtemps, la terreur se lit dans ses yeux.

Ma solitude face à lui que je voudrais rassurer, il m'attend patiemment dans ce service de cardiologie, espérant que je le ramènerai à la maison, là où il a envie d'être, là où il mourra finalement, ce matin du 6 novembre, tombé à côté de son lit après avoir, semble-t-il, accompli ses gestes quotidiens.

« Mais toi, tu es tellement entourée ! Tout le monde t'aime ! » Voilà ce que j'ai toujours entendu depuis que, de simple journaliste aimant passionnément son métier, je suis devenue personnage public.

« Tout le monde, c'est personne... », ai-je envie de répondre.

«Est-ce que la gloire et la célébrité ne pro-voquent pas nécessairement une solitude, mais si différente de l'esseulement, de l'isolement... au point qu'il est difficile de le faire comprendre à ceux qui n'ont pas à vivre avec leur image ? Et cette image si désirée fait que l'on est comme abandonné. Au fond, ce n'est pas de la solitude mais de l'exil. C'est un grand sujet.»

C'est ce que m'écrit mon ami Olivier Py pour qui la célébrité, l'image et la gloire nous posent face à la mort.

«Il ne manque que Dieu, et Dieu manque.»

Je ne le crois pas. Non seulement parce que notre rapport à Dieu ne m'a jamais paru être la clef de l'existence, mais surtout, parce que je refuse d'envisager la notoriété comme une valeur en soi. Au contraire. Elle est fugace, tient à si peu de chose. Elle est agréable, un halo chaleureux qui rassure, certes, mais momentanément. Elle n'offre par ailleurs ni confiance en soi ni estime de soi à celle ou celui qui en manque.

Reste donc la solitude, la solitude métaphy-sique, celle de notre humaine condition face aux vertiges du temps et de la fin dernière.

La solitude de la femme.

Il aura fallu qu'un magnat de Hollywood soit cloué au pilori pour que la nôtre face à la violence masculine soit entendue et que s'ouvre enfin le débat.

Impossible de nier l'évidence : dans tous les lieux de pouvoir, l'entreprise, la politique, dans la culture même, l'homme qui se livrait à des abus de position dominante sur ses subordonnées féminines – de la simple drague appuyée jusqu'au viol –, le faisait généralement en toute impunité. Aucune dénonciation ne pouvait réellement aboutir, la plaignante faisant le plus souvent l'objet d'indifférence, de moquerie, et même de rejet de la part de la police ou de la justice. Aujourd'hui, les femmes offensées parlent. C'est bien. Des combats aboutissent. La mise en examen de Tariq Ramadan, dont Caroline Fourest, auteure de *Frère Tariq*, dénonce depuis toujours le double discours, est une victoire. D'autres suivront, on l'espère. Que l'homme se mette à réfléchir à ses comportements, à ses impulsions est salutaire.

Pour autant, pas question de déclarer une guerre systématique au mâle, pas question d'aigreur féministe ou d'accusations tous azimuts.

Ne pas confondre, comme l'écrivait Michel Foucault, violence sexuelle et violence du sexe.

Je comprends par ailleurs Alain Finkielkraut ou d'autres qui, tout en prônant la galanterie masculine, soulignent à juste titre que les femmes peuvent aussi abuser de leur place dans la hiérarchie. J'ai résisté, et nous sommes nombreuses, à des amis insistants, à des interlocuteurs entreprenants, j'ai repoussé des avances, d'une plaisanterie ou d'un geste ferme. J'ai néanmoins la chance d'exercer un métier sans doute moins machiste que les autres, et ne me suis jamais considérée comme assujettie.

Je vais même plus loin : le fait d'être une femme m'a donné un atout majeur auprès des trois chaînes qui, toutes désireuses de féminiser l'information, m'ont proposé, au même moment, en ce début d'année 1991, de prendre les rênes d'un 20 Heures. La Cinq, France 2, TF1. Une situation unique. J'ai choisi TF1.

Mais je me suis toujours sentie femme dans un monde d'hommes. Inscrite d'emblée dans un rapport de force. Dans la vie sociale comme dans l'intimité. Phénomène immémorial, face-à-face de deux êtres irréductibles. Nous ne pourrons plus jamais nous y résigner.

Geneviève Fraisse, philosophe du féminisme, affirme que la loi ne pourra plus vraiment faire progresser l'égalité des sexes. Elle a déjà largement transformé notre société au XXe siècle.

Reste la question du corps masculin qui opprime, et du corps féminin qui subit.

C'est la grande question de notre XXIe siècle.

Elle reste sans réponse.

La violence avec douceur...

La violence du monde, la violence de l'homme, la violence entre l'homme et la femme... Cette violence aux multiples visages hante d'innombrables œuvres. D'aujourd'hui et d'hier, ces œuvres interrogent, autant qu'elles éclairent nos destins. Arnaud Desplechin cherche en permanence à décortiquer et décrire les sentiments extrêmes, les crises, l'insidieuse coïncidence entre haine et amour quand les deux s'éprouvent dans la démesure. Très inspiré par Bergman, il excelle à traduire ce paroxysme. Rien d'étonnant à ce qu'il se soit emparé de la pièce de Strindberg, *Père*, pour la monter à la Comédie-Française. Là encore, il s'agit de l'histoire d'un couple qui se déchire, le mari sombrant dans la folie à mesure que son épouse lui instille le doute sur sa paternité. Nous sommes en 1887 et les tests ADN n'existent pas encore... Mais la question de la filiation résonne, autrement, avec toujours autant de force.

Pourtant, Arnaud Desplechin, metteur en scène du conflit, est un homme d'une apparente douceur qui n'a d'ailleurs adressé qu'un seul viatique à ses comédiens : « Cette violence, il faudra la montrer avec douceur. » Le couple décrit par Strindberg est une guerre. Les époux s'aiment encore, mais n'arrêtent pas de se blesser parce que, sans cela, ils arrêteraient de s'aimer. Constat désespéré mais juste et transposable, hélas, à notre propre existence.

L'âpreté du monde est également au cœur des créations du chorégraphe Angelin Preljocaj. S'appuyant sur des textes de Laurent Mauvignier, lui aussi obsédé par la violence qui nous entoure, qu'il s'agisse de faits divers tristement banals ou des grands flux historiques, il fait s'entrechoquer les danseurs, s'empoigner filles et garçons dans des univers de désolation.

Retour à Beratham, par exemple, raconte la quête d'un jeune homme qui revient dans son pays meurtri par la guerre. Il cherche celle qu'il aime, mais de jeunes soldats l'ont martyrisée et tuée, il ne retrouvera que son enfant. Les stigmates des conflits sont parfois plus terribles que les bombes : voilà ce que nous dit ici Preljocaj.

Ismaïl Kadaré avait écrit : « L'un des éléments fondateurs de la vie d'Angelin est que sa mère a traversé les montagnes d'Albanie alors qu'elle était enceinte de lui.» C'est sans doute pour cela que l'artiste, né en France, et élevé à Champigny, n'a jamais oublié le drame de ses ancêtres albanais, et parle inlassablement du doute, de l'errance, de l'exode. Le paroxysme et les crises ont toujours inspiré les artistes, du Caravage à Guernica, de Schiele à Pollock. De même, tous les héros de Shakespeare portent une incommensurable violence en eux. «Fatigué de tout ça, je veux quitter ce monde sauf que si je me tue, mon amour sera seul.» Ces sourets mêmes, traduisent l'absurdité de la passion et la noirceur.

La musique de Georges Delerue, composée pour *Le Mépris* de Jean-Luc Godard, est l'expression indépassable de la douleur de l'amour, ou plutôt de l'éclat des jeunes amants qui s'apprêtent à souffrir, inévitablement. Il y a un souffle absolument romanesque et en même temps la profondeur de l'intime. On vibre, on espère, on a le cœur qui bat, le souffle court mais une force incroyable. Amoureux, on est invincible. Et en même temps, on sait que cela va se perdre, s'effacer doucement. Et c'est toute la beauté du sentiment.

«Ne t'inquiète pas, Korée...»

Je n'accepte pas mon âge. Il me contrarie. Il m'inquiète. Non que je sois moins en forme, au contraire. Il y a les douleurs du matin, bien sûr, l'ankylose après la nuit, mais j'ai appris à remettre mon corps en route. D'abord seule, avec un enchaînement de musculation et d'assouplissements, puis grâce à la danse. Je la pratique chaque jour. Cette parenthèse quotidienne m'est devenue indispensable – et même vitale. C'est un cours de danse classique, qui me replonge dans mes rêves de petite fille. J'aimais tout alors, la musique, l'effort rigoureux, les chignons et les justaucorps roses, mais surtout, l'espoir fou qui s'y greffait : rentrer à l'Opéra. Hélas, mon manque de talent et la nécessité de poursuivre l'école ont vite réduit la danse à un passe-temps. Je l'ai toujours regretté, et le regrette aujourd'hui encore, lorsque j'assiste à un ballet.

Les jeunes professionnels que je côtoie tous les matins à la barre n'échappent pas à la peur de l'artiste sans travail, ils courent d'une audition à l'autre sans garantie aucune, mais ils vibrent, tendent vers l'excellence... Je n'aime rien tant que voir s'élancer leurs corps souples et harmonieux, sonder l'émotion qui les porte.

«Nous cherchons tous quelque chose de très précieux, un axe, cet axe qui permet les pirouettes et les équilibres, qui pose fermement les pieds sur la terre, dans notre monde, et qui oriente la tête vers les cieux. L'axe grâce auquel nous sommes reliés entre le haut et le bas. L'axe sur lequel tout tourne, l'axe que nous pouvons quitter quand nous le désirons pour le retrouver si besoin. L'axe qui nous maintient debout face aux difficultés, et qui nous donne la force d'épauler ceux qui nous entourent... C'est cet axe qui nous permet une danse facile, joyeuse et épanouissante.»

C'est en ces termes que mon professeur s'adresse à nous – Wayne Byars est un Américain installé en France depuis des années, un enseignant admirable et singulier. Je retranscris ses mots fidèlement, non seulement parce qu'ils me paraissent justes et sages, mais parce qu'ils me font du bien. Après chaque cours, je me sens moins fébrile et plus droite. Fatiguée certainement, mais ancrée, satisfaite d'avoir progressé même imperceptiblement, et d'avoir étiré mes muscles, entraîné ma mémoire, amélioré une position. Cet apprentissage m'est précieux, car ce temps m'appartient.

Pour freiner la vie qui court et retarder les effets de l'âge, je me cherche un rôle, une manière d'être utile : aux autres, au monde, à moi-même... Par chance, je n'ai pas connu de longue période d'inactivité après mon éviction d'une chaîne qui m'avait comblée pendant vingt-quatre ans. J'ai rapidement retrouvé une belle antenne, et me suis vu confier la présentation d'une émission culturelle de grande qualité. Un rendez-vous quotidien. Ce fut une chance. Il y a bien eu quelques coups de cafard, les premiers dimanches. Inévitablement. Mais j'ai réussi à combler les vides.

C'est après, bien après, que le désarroi s'est installé. Il surgit toujours quand on ne s'y attend pas. Car en dépit de mes fonctions actuelles, je ne m'illusionne pas. La perspective d'une progressive et inéluctable mise à l'écart me prive d'oxygène. J'en ai certains jours la nausée.

Vertige sombre de la nuit hachée, pensées tristes que rien ne peut distraire ni effacer, sauf la danse, encore elle : je repense aux exercices effectués tous les matins à la barre. Je m'applique à énumérer chaque partie de mon squelette, à les imaginer dans l'effort, à me remémorer l'enchaînement imposé par mon professeur. C'est immédiatement salvateur, je suis transportée dans ce monde que j'aime, celui que je préfère : un monde à la fois hors de la réalité (puisque je n'ai pas fait de la danse mon métier), et pourtant si tangible, qui redore mon quotidien. Un repère apaisant… Je sais que je le retrouverai toujours. Et avec cette certitude, je peux me rendormir.

Les réveils sont parfois chaotiques. Je m'accroche aux habitudes et rituels matinaux, ils chassent cette sorte de dégoût qui part du ventre et m'obscurcit le cerveau. Mais ils n'atténuent pas la tourmente, ni ne résolvent les dilemmes qui me tiraillent : retrouver des amis avec déjà l'envie de s'isoler, se sentir incomprise de ses proches et pourtant mal supporter d'en être éloignée, éprouver la solitude au milieu du monde, et plus encore, dans la compagnie la plus intime. N'être jamais à sa place, en somme, et chercher le sens d'une vie dont l'horizon se réduit inexorablement. Ce mal-être métaphysique s'accompagne bien sûr d'innombrables manifestations somatiques. Elles ne sont pas nouvelles. À soixante ans (et je frémis en écrivant le chiffre de cette terrifiante dizaine), je me souviens encore de ces moments suspendus où, depuis l'enfance, les frayeurs les plus irrationnelles gâchaient une journée de vacances, un voyage, un dîner…

Puisque tout passe

Me revient en mémoire, et avec une incroyable acuité, la sensation qui me fit vaciller, lors d'un après-midi que je passais dans l'un des plus beaux endroits du monde : les jardins de l'Alhambra au-dessus de Grenade. Nous visitions l'Andalousie avec deux amis étudiants dont je partageais la chambre et même un lit, faute de moyens et surtout d'hébergement en pleine semaine sainte. Je me rappelle la merveilleuse mosquée de Cordoue ombragée d'orangers à profusion, les processions de Séville, et le sud de l'Espagne, déjà brûlant. C'était joyeux, nous entretenions une commune incrédulité vis-à-vis d'HEC, notre école, et posions un regard critique sur tout ce que représentait l'entreprise. Un comble, après un concours difficile ! Jef avait de l'humour, mais un fond de tristesse qui me touchait. Quant à Sam, il avait toujours le sourire et la chaleur de ses origines marocaines.

Nous étions indécis, naïfs, tâtonnants, comme on l'est à vingt ans. Mais nous étions libres. Je me savais fragile aussi. À Grenade, donc, je dus m'arrêter au pied d'une statue, chancelante, contrainte de m'asseoir, et le cœur affolé. Je scrutai alors les alentours, guettant un point d'ancrage. Mes amis déambulaient à proximité, devant un bosquet voisin, un guide à la main. D'eux je n'avais pas besoin, ils n'auraient pas compris, ou plutôt, je n'aurais pas su leur décrire l'impression de vide

25

et de peur diffuse qui m'envahissait et me mettait si mal à l'aise.

Cette peur, je ne l'ai jamais oubliée.

Autre souvenir. J'étais plus jeune encore, et passais le mois d'août sur une île grecque avec mes parents, l'une des Sporades les plus éloignées du continent, Alonissos. Il avait fallu traverser la France, le nord de l'Italie et la Yougoslavie en voiture, avant d'atteindre le port grec de Volos. Seul à conduire, mon père s'était plaint tout au long du trajet. À bout de forces, il avait embarqué la voiture sur le ferry qui nous emmenait pour une longue traversée. Ma mère n'aimait pas le bateau et ne le cachait pas. Heureusement, la musique lancinante du sirtaki, diffusée en boucle dans toutes les coursives, avait fini par nous bercer.

Mes parents s'étaient laissé convaincre d'entreprendre ce voyage interminable par la famille de mon amie Isabelle, qui avait tout préparé, tout orchestré. Nous étions finalement arrivés dans un petit port charmant, peu habitué aux touristes. C'était encore la Grèce des colonels. Passé l'excitation de la découverte et les premières baignades, notre séjour s'était déroulé dans une douce torpeur. Adolescente, je lisais et m'astreignais volontiers à des devoirs de vacances que j'envoyais à un correcteur, malgré mes bonnes notes en classe. J'y consacrais une partie de mes après-midi et y prenais même un certain plaisir. Un matin, installée sur un rocher et m'étant sans doute un peu trop attardée au soleil, je fus prise d'un léger vertige. J'escaladai la crique avec peine, pour retrouver un coin d'ombre. Isabelle et ses parents avaient dû partir à la pêche aux oursins. J'aperçus mon père qui se tenait à l'abri, il détestait la chaleur et plus généralement toutes les activités de plage. «Nous sommes loin de tout ici, ça ne te paraît pas étrange de te retrouver sur une île?», lui demandai-je, masquant mal mon trouble. Je n'avais pas osé lui avouer mon affolement, mon inquiétude dans l'éloignement, mais il avait dû les sentir. Il me regarda alors avec un sourire et ses yeux très bleus, puis, sans un geste, me répondit de sa voix rassurante: «Il faut nous accrocher, comme Kant, à la certitude que nous avons le ciel étoilé au-dessus de nos têtes, et la loi morale en nous.»

Ce n'était pas la première fois qu'il citait son philosophe préféré (il avait consacré un mémoire universitaire à la *Critique de la raison pratique*), mais il le faisait toujours sans aucune pédanterie, s'amusant même de nos moqueries.

Il avait conclu notre échange par ces mots, qu'il m'adressait souvent: «Ne t'inquiète pas, Korée.»

Lui seul m'attribuait ce surnom vaguement grec. Il me désigna ainsi jusqu'à la fin de sa vie... Aujourd'hui encore, sa seule évocation emplit mes yeux de larmes.

Courageuse ?

L'hyperémotivité, la claustrophobie et l'anxiété font partie de mon ADN. Elles ne m'ont pas empêchée de vivre, ni même de surmonter les épreuves. Elles m'ont seulement privée de légèreté et m'ont rendue, à certaines périodes, peu supportable aux autres. La folle inquiétude, la peur irrationnelle même contenue, se lisaient sur le visage de ma mère et dans ses gestes saccadés. Comme elle, je n'ai jamais pu, je crois, les masquer complètement. Pendant toutes ces années de journaux télévisés, elles m'ont souvent prise au dépourvu. En quelques dixièmes de seconde, le plateau devenait un lieu d'enfermement, air raréfié, aucune issue. J'étais soudain coincée et n'avais d'autre choix que de prendre sur moi, de retrouver mes esprits, de m'accrocher à la table pour ne pas tomber, et d'aller jusqu'au bout des quarante minutes du

20 Heures, des éditions spéciales, des interminables soirées électorales.

Je n'ai pratiquement jamais eu le trac, comme on me l'a, et c'est légitime, si souvent demandé. Je ne redoutais pas les difficultés techniques et j'adorais ce métier. Mais j'avais mes propres craintes, mes handicaps secrets, mes vertiges. Ils furent ma croix, mais je n'aurais jamais renoncé de moi-même.

La dernière interview du 14 Juillet que François Hollande nous accorda, à David Pujadas et moi-même, fut une ultime épreuve. Cet exercice dont j'étais familière n'impose pas moins une forme de solennité. Pour le Président et pour les journalistes.

J'avais déjà, en cet été 2015, la vague prescience d'une fin, d'un enjeu particulier. Les trois ou quatre premières minutes furent un calvaire. Autant dire une éternité quand on est devant une caméra en direct. Incapable de respirer, je crois bien m'être dit que j'allais me lever et laisser mon confrère poursuivre seul. Après deux questions, un effort de concentration et un réflexe dû à l'expérience, j'ai finalement repris mon souffle.

«Au fond, vous avez toujours eu peur de l'effondrement, de l'évanouissement...», m'a dit un jour un psychiatre. «Vous avez dû souvent lutter. Mais vous y êtes toujours arrivée... parce que vous êtes courageuse.»

Courageuse ? C'était l'un des très rares qualificatifs louangeurs dont ma mère me gratifiait. C'est en tout cas ce qu'elle avait répondu lors d'une interview croisée qu'elle et moi avions accepté d'accorder à une journaliste, pour un livre sur les mères et les filles. La question était simple : « Quelles sont, selon vous, les qualités de votre fille ? » S'il s'était agi de mon fils, j'aurais répondu sans hésiter un chapelet de dithyrambes. Ma mère n'avait pas hésité non plus, et laissé tomber une seule phrase : « Ma fille, je la trouve courageuse. » J'ai reçu le compliment mais j'aurais tant voulu qu'elle poursuive : « gentille, attachante, forte, intelligente... bref, la meilleure ». Voilà, j'aurais tout simplement voulu qu'elle dise que j'étais la meilleure ! Et que je n'avais d'autre choix que réussir ma vie avec tous ces talents ! J'aurais été munie d'un viatique, d'une approbation inconditionnelle et j'aurais été invincible.

Mais pour cette femme de la guerre, des privations, de la relative pauvreté, le courage était sûrement la vertu cardinale, la clef de l'ascension sociale et de l'émancipation. Elle non plus n'en avait pas manqué. Nous étions faites du même bois. Ce psychiatre avait trouvé les mots. Selon lui, j'avais donc su me battre, non pas seulement pour surmonter des épreuves, mais pour affronter le simple fait de vivre, de respirer, de traverser une rue, de prendre un train ... Et ce n'était pas fini !

Parmi ces combats intimes, invisibles, celui que je menai le jour de ma communion solennelle m'a profondément marquée et, je crois, déterminée. Je n'étais qu'une enfant et, sur le moment, je n'avais rien pu dire à personne. Qui aurait compris ? La cérémonie se déroulait dans une église peu avenante, grise, d'une modernité indéfinissable, Sainte-Jeanne-de-Chantal. Tout me revient chaque fois que je passe devant le bâtiment, porte de Saint-Cloud. L'aube blanche était de rigueur et annonçait pour nous, adolescentes, quelque chose d'un peu exceptionnel, et même d'excitant. Nous avions toutes participé à deux jours de retraite chez les religieuses de la paroisse. Accompagnées par cet aumônier du lycée aux lunettes sombres et fumeur de Gitanes qui nous donnaient la nausée quand nous suivions le catéchisme, nous avions alterné prières, réflexions et jeux. J'aimais beaucoup ces instants, j'étais une petite fille très pieuse, attachant beaucoup d'importance au recueillement et au rituel de la messe. Avec mon amie d'enfance Isabelle et ses parents, nous y allions tous les dimanches à midi, après une visite dans les salles égyptiennes du Louvre, ou à Versailles (j'avais une prédilection pour le Petit Trianon). Nous arrivions pour l'entrée du prêtre, mon amie naturellement rieuse et dissipée mettait un peu de temps à retrouver son calme, ce qui parfois me gênait. Elle était pourtant élevée dans une école religieuse et sa famille était plus pratiquante que la mienne. Mais je détestais déroger à la règle, que ce soit à la maison, en classe, ou à l'église. Une forme de mysticisme me portait vers des sphères mystérieuses, j'avais la vague impression d'être sous le regard d'un guide supérieur qui me jugeait, mais que je savais aussi capable de pardon. Sans vraiment savoir à quelle fin, ni quoi lui raconter, j'essayais de parler à Dieu, traquant mes péchés les plus véniels et laissant volontiers monter les larmes.

C'est dans cet état concentré et anxieux que je pénétrai dans la nef éclairée d'une lumière blafarde le jour de ma communion. Nous avions répété tout le cérémonial : le cierge, les chants, les déplacements dans l'odeur d'encens jusqu'à la distribution des hosties consacrées. Nous portions chacune une simple croix de bois au bout d'une cordelette. Assez vite, les premiers signes du malaise physique étaient apparus, sueurs froides, vague mal au cœur, respiration hachée. Je regardais autour de moi, un peu affolée. Sentiment d'enfermement déjà, claustrophobie, imminence d'un malaise vagal. J'échafaudai un plan de repli, peut-être sur les côtés, mais il faudrait alors que je m'allonge... Où ? Impossible de passer inaperçue, mes camarades me suivraient du regard, mes parents se précipiteraient. Un cauchemar. J'étais rattrapée par un métabolisme que je supposais fragile. Il aurait fallu que l'on m'invite, dès l'enfance, à ne pas écouter un corps qui parle à la moindre émotion. On m'avait au contraire toujours couvée, protégée, scrutée…, essuyé le dos quand j'étais en nage, retenue sur la plage des heures après le repas, pour me laisser un temps interminable de digestion avant la baignade, y compris dans une eau à 26 degrés ; bref, une enfant élevée dans un monde où tout n'était que danger pour la santé. «Attention !» était l'injonction permanente de ma mère.

La cérémonie s'est achevée. Mais dans une sorte d'apnée, traversée de terreurs chaotiques. Je n'ai conservé aucun souvenir des prières ou d'une quelconque élévation de l'âme. Mon corps, ma tête, pesaient des tonnes. J'avais dû mobiliser toutes leurs capacités pour ne pas m'effondrer. Au lieu d'une fête de famille, la journée me laissa nauséeuse, muette, chacun s'étant assez vite replongé dans ses occupations du dimanche.

Peut-être la cérémonie de Sainte-Jeanne-de-Chantal et son cortège de peurs marquent-ils le début de ma désaffection religieuse…

Phobies

Longtemps, j'ai craint, de façon diffuse, de m'évanouir, et ce depuis l'enfance, depuis une banale vaccination, un après-midi de juillet. C'est idiot. Cela s'appelle prosaïquement «tourner de l'œil». Rien d'insurmontable ni d'inoubliable. Et pourtant, la sensation qui m'envahit ce jour-là, alors que je devais avoir cinq ou six ans, m'est restée et est devenue une sorte de hantise. Nous étions en vacances à Thiers, chez ma grand-mère maternelle, et ma mère en avait profité pour remplir l'obligation à laquelle tous les parents sont un jour ou l'autre soumis. Nous avions rendez-vous chez le médecin local. Il faisait une chaleur de bête et la piqûre fut douloureuse. Mon frère, de quatre ans mon aîné, passa le premier : il devint blanc comme un linge et dut s'allonger. Le pédiatre de Thiers, peu psychologue, et ma mère quelque peu inquiète, se penchèrent sur lui, mi-figue mi-raisin. Plus petite et impressionnable, je fis le même malaise. Étendue au sol, j'essayais en vain de retrouver un peu d'oxygène. Cette séance chez le médecin fut un véritable fiasco. Au lieu de nous rassurer et de nous expliquer un phénomène somme toute courant et bénin, il nous renvoya chez nous en nous tapotant la joue. Nous nous crûmes, ou du moins je me crus, au bord de mourir. Le retour ne fut pas moins pénible. Ma mère marchait quelques pas devant nous. Je ressens encore l'odeur de l'asphalte, l'impossibilité de me tenir debout. Mon frère, obligé de s'asseoir tous les cent mètres au bord du trottoir, et moi l'imitant un peu plus loin, notre mère allant de l'un à l'autre, impuissante à traîner deux enfants qu'une simple piqûre avait anéantis. Je mis plusieurs jours à m'en remettre, soignée par ma grand-mère comme si j'avais subi une grave opération.

Longtemps après, j'appris qu'il s'agissait d'un malaise sans gravité auquel les femmes sont volontiers sujettes, tout comme les garçons un peu émotifs à la vue du sang. Un motif de moquerie au service militaire ! Rien de plus.

J'en fus victime bien souvent dans ma vie, et me trouvai au bord de l'évanouissement quand mon fils dut recevoir ses premiers vaccins. Impossible de me dérober. Stoïque, je tenais mon bébé, et quand il fut plus grand, je plaisantais avec lui dans la salle d'attente. Mais je n'en menais pas large. François, bravache, n'aurait pour rien au monde montré la moindre faiblesse. Habitué aux baignades en Bretagne, aux marches sur les sentiers de montagne ou aux voyages les plus lointains, il avait décidé une fois pour toutes de ne pas avoir peur, de ne pas se plaindre. Pas question de pleurer en s'ouvrant le genou et en tombant sur la neige gelée. Mon fils ne s'apitoie pas. Courage, désir d'imiter son père ou de faire plaisir à sa mère? Il faut dire que je suis assez fière de cette trempe presque protestante. Fière et soucieuse parfois... François s'exprime peu, accepte de partir, de revenir et de se partager entre deux familles, comme tant d'autres, lesté d'un sac le week-end, de livres et de cahiers. Apparemment tout va bien.

Est-ce vraiment le cas?

Je guette les signes, il a de l'appétit, il s'endort facilement, il est concentré en classe. Que demander de plus? Quelques mots de contentement, ou même de colère... «Non, c'est à toi de deviner, et puis, cela t'arrange bien que je ne dise rien et que je ne me plaigne pas!» La phrase, un jour, est sortie nette, sans agressivité, assez tranquillement. Quant à moi, je restai stupéfaite, mais fus bien obligée d'approuver.

Comment ne pas reconnaître que j'aurais détesté les débordements, les flots de pleurs, les «ne pars pas!» et les «pourquoi n'êtes-vous pas ensemble papa et toi?». Par tempérament, et peut-être pour avoir la paix, François l'a très vite compris.

Les peurs d'une mère

C'est un étrange paysage : une haie de buil-
dings enchâssés dans une végétation tropicale,
tours-miroirs où se reflète un bras de mer que
les jonques ont presque déserté. C'est là, à Hong-
Kong, que mon fils étudie et vit depuis quelques
mois. Des études de philosophie entamées à
Londres et qu'il poursuit au milieu d'élèves
chinois. Le temps de la séparation et de l'ailleurs m'a
soudain paru trop long malgré nos conversations
téléphoniques quotidiennes. Il fallait que je le voie
dans son environnement asiatique qui ressemble
si peu au nôtre. J'ai quitté Paris avec mon ami
Olivier dont la fidélité, le calme et l'habitude
de s'endormir dans n'importe quel avion, avant
même le décollage, me rassurent. Il connaît aussi
parfaitement les lieux pour y avoir souvent tra-
vaillé. Me voilà donc débarquée sur cette île du
business qui résiste tant bien que mal à l'emprise

de Pékin. Il fait encore jour, mais l'heure du dîner approche, alors qu'à Paris, chacun s'apprête à déjeuner. La chaleur moite des rues contraste avec le froid glacial des hôtels et restaurants climatisés. François est à l'aise, chemise froissée mais souriant, indifférent aux chocs thermiques de cette métropole caniculaire aux bâtiments réfrigérés. Il va avoir vingt et un ans et il a déjà parcouru bon nombre de pays étrangers. Il aime les voyages et n'a pas peur de tracer sa route.

Il me guide dans son université qui me paraît bien plus accueillante que les nôtres – étudiants calmes, bien qu'engagés dans une contestation assez vive du gouvernement de Pékin, conscients de devoir rester vigilants. Les cafétérias ne sont pas décourageantes, dans les bibliothèques, des espaces sont aménagés où l'on peut discuter et passer des coups de fil. L'année scolaire se déroule assez sereinement. La ville, pourtant grouillante par endroits, assure une sécurité à peu près totale à ses habitants. François y gravite semble-t-il sans aucune crainte, préférant les quartiers populaires et les petites échoppes aux magasins de luxe, et s'habituant aux façades lézardées et parsemées de vieux ventilateurs des immeubles des années 1970. «Il suffit de ne pas regarder en l'air», me dit-il, philosophe. Comme beaucoup, il s'est accommodé d'un appartement exigu partagé avec une amie, et d'un matelas posé par terre. Il passe son temps à lire, à rêver, ou à partir seul à la découverte de la région, le Nord-Vietnam puis le Japon. Un peu plus tard, il ira en Chine continentale, dernier voyage aux confins de l'Asie, avant de rentrer en France. J'essaie de percer ses états d'âme, je l'interroge quand nous sommes assis, côte à côte. Que vais-je bien pouvoir aimer dans la cuisine locale? Pas simple pour moi. Comme je l'admire de se sentir à l'aise partout, à l'aise avec la solitude, l'exotisme, les formalités à l'aéroport, ou assis dans un train bondé qui relie Pékin à Oulan-Bator. «Pourquoi est-ce si compliqué pour toi?», me demande-t-il un peu moqueur. «Tu as fait dans ta vie des choses bien plus difficiles!»

Oui, sans doute, mais c'est oublier les peurs ancestrales de ma mère; ses appréhensions maladives avant de nous emmener, mon frère et moi, en Auvergne, pour de courtes vacances; ses suffocations dans le métro; son horreur de l'avion et du huis clos quel qu'il soit; cette angoisse que son regard trahissait, petite femme frêle, forte et fragile. Et souffrant à coup sûr.

Elle ne redoutait aucun obstacle, mais Dieu sait qu'elle avait peur de la vie! Et cette crainte permanente, tapie tout au fond d'elle-même, toujours prête à ressurgir, je la guettais, je scrutais son visage soudain tendu, la crispation de ses mains, ses longues inspirations pour ramener le calme. Tout cela assombrissait en un instant une

41

situation souvent banale, quotidienne, qui aurait pu être vécue légèrement. Dans ces moments-là, j'aurais tout donné pour apercevoir un sourire, un relâchement du corps et l'expression d'un désir, d'un rêve, d'un plaisir. Je faisais tout pour l'entendre me dire : «Je suis contente». J'étais une enfant discrète, sage, sérieuse, je voulais qu'elle n'ait aucune inquiétude pour moi, elle en avait déjà bien assez! J'essayais, par mes faibles moyens, de la rassurer... Pourtant, n'est-ce pas à la mère d'effacer les terreurs de l'enfant? C'est à elle de l'envelopper d'une aura de douceur et de réconfort, et de lui murmurer : «Tout va bien, ce n'est pas grave, tu vas y arriver, ça ira mieux demain et la vie est joyeuse.» C'est à la mère d'offrir un univers de baisers, de câlins, un espace charnel qui le met à l'abri de tout et lui donne cette confiance inconditionnelle sans laquelle il est difficile – voire impossible – de grandir sans chaos.

La peur n'est pas innée. En aucun cas! Elle se transmet, elle s'inocule. Et voilà comment j'ai absorbé celle qui tenaillait ma mère. Une femme terriblement volontaire et tenace, jusqu'au bout, mais rongée par l'anxiété. Comment échapper à ce double et paradoxal héritage? Pesant et fécond. Chaque jour, depuis sa mort, les images de ma mère me reviennent. Corps minuscule et souffrant, regard perdu de celle qui ne veut rien céder, mais se consume.

Une mort si âpre...

Ma mère est morte. Mon père s'est éteint peu de temps avant elle. Et me voilà bancale, en quête d'un nouvel équilibre. Gestes mécaniques, oublis, le cœur et les pensées s'affolent. La sensation de ne plus aborder la vie calmement, mais d'accomplir les tâches quotidiennes de façon saccadée, désordonnée. L'esprit au bord du gouffre. Le silence rend fou. Allumer la radio dès le réveil, la télévision le soir, pour que le monde reprenne une existence palpable, pour retrouver les repères les plus simples. Je n'avais pas ressenti cette peur de l'isolement depuis bien longtemps.

Ce n'est pas tant le manque – de quelqu'un, de conversations, de moments partagés. Pas du tout.

C'est en vérité la disparition des contraintes qui constituaient une partie de ma vie. Obligation permanente de penser à cette maladie, à cette folie qui emportait peu à peu celle qui m'avait donné le jour.

Il faut accompagner et porter une vieille femme qui ne ressemble plus à celle qu'elle a été : relâchement de l'esprit, dessèchement du corps, jambes et pieds tordus, mains osseuses crispées sur le drap, ou sur mon bras. J'essaie de caresser ses doigts, mais ils ressemblent aux miens, et je prends mes propres mains en horreur. Je ne veux pas voir ces phalanges recroquevillées, très fines et belles autrefois, aujourd'hui signe ultime d'un être qui s'accroche désespérément au vivant.

Je viens la voir par devoir filial, évidemment. Et c'est, chaque fois, une épreuve.

Depuis quelques mois, ma mère est atteinte d'une maladie neurologique qui n'est pas Alzheimer, mais qui détruit son cerveau à toute allure. Nous ne l'avions pas détectée avant, pourtant le mal était à l'œuvre. Ma mère a toujours su se dominer, s'efforçant de masquer tout dérapage par la seule force de sa volonté. Mais c'était là, tapi, ressurgissant parfois dans des accès de dureté et d'agressivité folle… Je n'avais rien compris et mis tout cela sur le compte de son intransigeance, de nos différences, et de nos incompatibilités.

Puis les hallucinations et la paranoïa ont pris toute la place et, peu à peu, elles ont gouverné sa vie. Une femme autoritaire s'enfonçait dans la dépendance. Elle qui n'avait jamais versé la moindre larme pleurait maintenant comme une petite fille abandonnée. D'aides-soignantes en infirmières, de gardes-malade en institutions médicalisées, ma mère a passé une année effroyable. Cet être volontaire ne supportait pas de s'en remettre ainsi entièrement au personnel hospitalier.

Souffre-t-elle ? A-t-elle au moins quelques moments de répit, d'apaisement ? Je l'ignore. Je ne cherche pas vraiment à lui parler. Je passe peu de temps avec elle, le temps réglementaire. A-t-elle envie qu'on lui fiche la paix ? Sans doute, elle nous le signifie parfois, en détournant brutalement la tête, les yeux clos.

À quoi pense-t-elle depuis que la maladie la ronge ? Elle qui était si construite, si tenace, grande lectrice, se souvenant de pans entiers de pièces de Racine ou de poèmes d'adolescence. Elle qui enterra mon père sans ciller, lisant sans aucune hésitation, d'une voix forte, criante presque, un texte qu'elle avait écrit sur le compagnonnage, que Jean et elle avaient fini par créer. Entourée de ses enfants et petits-enfants éplorés, dont Côme, le petit-fils si proche de son

45

grand-père, ma mère ne montra pas le moindre signe de faiblesse. Ses mains se crispent sur le drap ou sur la cuillère qu'on lui tend. Ses yeux se ferment, elle sourit si on l'embrasse. Mais soudain son regard se durcit, elle repousse tout, comme dans un dernier sursaut pour refuser cette perte d'autonomie et proclamer à la face du monde : « Je décide. »

Ma mère aura-t-elle décidé de l'heure et du jour de son départ ? Tout le monde est venu lui parler, la saluer une dernière fois ; au téléphone, son amie d'enfance, trop âgée pour se déplacer, lui a soufflé qu'elle l'embrassait. Elle a tenu douze jours sans alimentation ni hydratation, les perfusions lui provoquant des œdèmes. Seul un filet d'oxygène dans le nez la rattachait encore à la vie, et un reste de volonté aussi, sans doute. Corps déjà cadavre, mais n'abandonnant pas. Elle a finalement cédé un vendredi, à 18 heures 30. Je préparais le journal mais j'avais demandé à être prévenue. L'annonce m'a fait plier, je me suis affaissée avant de me reprendre... L'antenne était proche.

Quelques mois ont passé, mes parents ne sont plus là. Les idées noires se bousculent. Il faut accepter de se retrouver en première ligne désormais. La mort et la vie sont deux passages. Cette dépression inexplicable qui m'avait saisie à la naissance de mon fils m'envahit aujourd'hui. De même qu'il faut accepter qu'un petit être dépende entièrement de soi, il faut se résoudre à l'absence d'une mère. Se résoudre à ne plus s'en inquiéter. Un soulagement ? Sûrement, dans les premiers jours. Mais les suivants, on se surprend à guetter des nouvelles, le cerveau et le corps ne s'habituent pas à ne plus se soucier, comme s'ils fonctionnaient sur un seul lobe et sur une seule jambe. Vertigineuse solitude.

J'y ai trouvé un écho, ou peut-être une réponse, un soir, à l'Opéra, où j'assistais à l'étrange création du chorégraphe Jérôme Bel : au moyen d'une vidéo, il conviait sur scène une simple spectatrice, fidèle au ballet depuis toujours mais d'un âge avancé. La vieille dame s'était apprêtée pour communier une énième fois avec l'étoile Benjamin Pech dont elle ne manquait aucun spectacle. Malade, âgée, recroquevillée, elle se laissait porter, un pauvre sourire sur ses lèvres, par le danseur qui la soulevait avec une immense délicatesse. Cette femme allait mourir, on lui offrait une ultime satisfaction.

Sur la scène de Garnier, j'ai soudain vu ma mère : oui, cette femme, c'était elle, essayant de bien faire, appliquée, mais ailleurs déjà. À la fin de la représentation, Benjamin a annoncé que cette amoureuse de la danse qui l'avait suivi depuis toujours venait de s'éteindre.

Elle était donc ma mère, elle était moi aussi, car nous aurions pu, j'en suis sûre, partager bien des souvenirs et notre ravissement commun devant la grâce et la technique des artistes.

Ce soir-là, j'ai su qu'un jour je retrouverais ma mère.

Houellebecq ? Moi non plus…

1956. La date s'est affichée en grand, en fond de scène des ateliers Berthier. Ma main s'est crispée sur l'accoudoir et j'ai eu l'envie soudaine de serrer le bras de mes deux voisins. Avec mon fils, à ma gauche, je n'ai pas osé. À mon ami Martin, j'ai glissé : «C'est l'année de ma naissance, c'est vertigineux !»

Voilà, j'y étais. L'histoire d'une génération dont l'existence audacieuse, rebelle, chaotique, allait se rejouer devant moi par la grâce d'une troupe de comédiens, d'un jeune metteur en scène talentueux et d'un auteur : Michel Houellebecq. Je l'avais rejeté assez violemment lors de ses premières apparitions : trop snob, trop provocateur. Il fallait aimer Houellebecq et ses transgressions – et je ne les aimais pas. Après, bien sûr, je me suis ravisée, happée par son écriture et sa pertinence.

Ce projet théâtral ambitieux, adapté des *Particules élémentaires*, balayait tout le demi-siècle passé : Mai 68, le gauchisme et ses reconvertis, l'émancipation des femmes, la liberté sexuelle, les utopies et les désillusions. Ma vie, en somme. Une fumée s'est élevée du plateau pour envelopper les spectateurs. Plus de doute, je faisais bien partie des personnages houellebecquiens. D'abord effrayés par le nuage aveuglant, voire asphyxiant, nous nous sommes ensuite laissé absorber par la vapeur douce qui entourait l'univers cru de la pièce.

Cette pièce, tendre et violente à la fois, je ne cesse d'y repenser pour tenter de l'élucider, de m'expliquer la difficulté d'aimer, l'impossibilité de vivre avec l'autre, l'explosion de la famille, le combat pour exister socialement et professionnellement, la passion, la solitude. Et la liberté conquise !

Parmi ces images fortes, une en particulier m'a saisie : l'accouplement de deux jeunes adeptes d'une communauté alternative. Lui, je crois, était musicien, elle, visiblement amoureuse. Dans cet univers vaguement hippie où tout semblait possible, pas question de s'engager ni d'attendre trop de son partenaire. Liberté sexuelle, absence de tabou, plaisir immédiat et sans lendemain. Rien que de très banal.

Ces deux corps nus sont jeunes et beaux. Et pourtant, leur crudité, ou plutôt, la violence de leur relation me choque. La femme est écrasée, et malgré son sourire et son apparente exaltation, elle paraît subir ses coups répétés à lui, ses va-et-vient mécaniques, durs, brefs, jusqu'à la jouissance. La scène est rapide, puis chacun repart de son côté, comme s'il ne s'était rien passé. Pourtant, la femme ne semble pas en sortir indemne, sans doute attendait-elle autre chose. Antagonisme ancestral. Irréductibilité. Les deux sexes ne sont-ils pas, par nature, par essence, irréconciliables ? J'ai honte de penser cela. Je n'oublie pas l'émerveillement des premières fois, le désir partagé, l'envie qui monte et dont on retarde à dessein la satisfaction. Le cœur qui bat à l'instant des retrouvailles et l'attente qui nous rend chaque fois si vivants. Mais pourquoi me reste-t-il surtout le goût de la fin, l'acidité des derniers rapports, la violence de l'amour forcé ? Je ne peux pas vraiment répondre.

J'aime ce personnage d'Ida, dans le film éponyme de Pawel Pawlikowski. Cette jeune religieuse juive polonaise qui ne renonce pas à prononcer ses vœux malgré le jeune saxophoniste dont elle est tombée amoureuse. Il lui propose de le suivre en tournée. « Et après ? », demande-t-elle. « Après, rien, forcément, la désillusion », répond-il, l'air moqueur. Il a sûrement raison, il est joyeux et léger, et un peu égoïste aussi, mais elle ne l'accepte pas, elle veut y croire, et préfère retourner au couvent. Le film de Pawlikowski est beau et déchirant. On s'émeut de voir Ida quitter la vie, mais on l'envie presque de fuir la violence des hommes.

Il faudrait se souvenir des choses douces, aussi, de la plage de Carmel, d'une traversée à l'aube vers la Sardaigne, d'un regard échangé qui s'éternise des années plus tard dans une chambre d'hôtel, du manque après un départ, des lettres envoyées d'Italie ou d'Afrique, que l'on ne cessait d'attendre et que l'on relisait sans fin, de conversations au bord du bassin, des volets qu'on ne ferme qu'au petit matin et dont le bruit suscitera le lendemain quelques sourires de mes amis. Il faudrait ne s'être jamais trompé.

Michel Houellebecq n'a eu de cesse de décrire cette génération 68, sans concession, avec une cruelle lucidité, mais tant de noirceur. Misère sexuelle, familles éclatées, dénonciation stérile de l'argent et de la société de consommation, désir radical de liberté, refus de l'autorité. Il nous bouscule et nous laisse pantelants.

Qu'attendait-on de la vie ? Et réussir sa vie, ça veut dire quoi ?

Ces questions, évidemment, on se les pose à tous les âges. À mon fils, je répondrais : faire avec sincérité, et en pensant aux autres, ce que l'on a envie de faire. Mais ce n'est pas suffisant.

Puisque tout passe

À mon amie Fred, journaliste de quarante ans, je ne dis pas autre chose... Elle me raconte que ses parents, intellectuels soixante-huitards, les ont élevés avec ses frères et sœurs dans une communauté de Dordogne. Enfance joyeuse, passée avec d'autres familles qui mettaient tout en commun et avaient restauré un joli hameau pour se donner un peu de confort. On allait à l'école à vélo, on partageait l'éducation des petits, ceux qui travaillaient mettaient leurs revenus au pot. Les activités manuelles rapportaient un peu d'argent. Cela fonctionnait, rien ne manquait à cette existence bohème. Fred me dit qu'elle en a tiré un certain sens du partage et qu'elle retourne aujourd'hui avec beaucoup de plaisir dans cette campagne verdoyante où les propriétaires des maisons, les jeunes générations, continuent de se coopter.

Je souris. Ces groupes alternatifs ont donc bel et bien existé. L'utopie du retour à la terre ne s'est pas toujours dissoute dans les fumées de hachisch, elle a parfois conduit à l'égalité, l'entraide, à fuir le cloisonnement urbain et la déshumanisation des cités.

Qu'en est-il resté ?

À coup sûr, un profond chambardement, une explosion des codes et une interrogation non résolue sur les rapports hommes-femmes.

En Mai 68, j'avais onze ans, et j'étais en cinquième dans un lycée public de filles tenu par Mlle Fleury, une directrice pour le moins conservatrice. Nous l'imaginions célibataire. Elle avait interdit aux professeurs ayant l'audace d'inciter leurs élèves à faire du théâtre, de recourir aux garçons de l'établissement voisin pour tenir les rôles masculins. Si bien que je me suis retrouvée à incarner le «prospecteur Placier» dans *La Folle de Chaillot*. Pendant ces semaines de débordements, le lycée La Fontaine s'enorgueillissait d'assurer tous les cours. Certains parents formaient un cordon musclé à la porte, pour empêcher les étudiants de nous contaminer. À peine apercevait-on quelques obstinés isolés, dont Michel Field, qui tentait sans résultat de nous vendre *Rouge*, le journal de la ligue communiste. Il ne se décourageait pas, et pour cause : il avait un certain succès auprès des plus mûres d'entre nous. Le futur agrégé de philosophie à l'accent chantant m'impressionnait. J'étais trop jeune, et je regardais tout cela avec un peu d'envie et de crainte.

Élève sérieuse, j'avais toujours honni le désordre quel qu'il soit – le désordre et la contestation. Je n'admettais pas qu'une classe remette en cause l'autorité d'un professeur. Je détestais le savoir humilié. Je n'avais pas forcément de la sympathie pour celui ou celle que l'on raillait, mais je n'aimais pas que le groupe s'en prenne à l'individu. Bref, je continuais à suivre les cours sans état d'âme, et l'ordre bourgeois qui dominait notre établissement me convenait assez bien. Et pourtant, il régnait à la maison un état d'esprit bien différent. Mon père, socialiste, fils d'ouvrier passé par l'agrégation de philosophie et l'ENA (via le concours des fonctionnaires), n'avait aucune hostilité à l'égard des étudiants contestataires du Quartier latin. Bien au contraire, il allait volontiers à la Sorbonne et à l'Odéon les samedis après-midi, assister aux happenings et aux prises de parole. Il en profitait surtout pour chaperonner mon frère, lycéen à l'époque et vaguement tenté par la grève et les manifestations. Tous deux partaient vers le Quartier latin et en rapportaient un parfum d'audace et d'indépendance. Je continuais à travailler, regardais tout cela avec un peu de scepticisme et de crainte quand la rumeur des échauffourées de la rue Gay-Lussac s'élevait dans le ciel parisien. C'était violent, assurément, et les nuits estudiantines auraient pu être bien plus meurtrières. Dans notre immeuble, certaines familles s'écharpaient ou s'échauffaient entre générations. Au troisième étage, affiches et dazibaos se répondaient jusque sur le palier.

Chez nous, rien de tel. Ma mère était certes gaulliste mais n'avait jamais vraiment polémiqué avec mon père. Nous avions seulement découvert, quelques semaines plus tard, en haut d'un placard, une petit valise qu'elle avait remplie de quelques victuailles et effets personnels, et mise à l'abri au cas où... Nous nous étions un peu moqués, puis tout était rentré dans l'ordre. La grande manifestation emmenée par Malraux et les autres en soutien au général de Gaulle avait balayé le mouvement étudiant et syndical. Les grandes vacances avaient achevé de disperser les plus actifs.

Mais rien ne serait plus jamais pareil. Et ma mère, professeur de français expérimentée, se souviendrait longtemps de ces mois chaotiques au cours desquels ses élèves de troisième, grands gaillards qui la dépassaient de près de deux têtes et expérimentaient une nouvelle liberté, lui avaient fait sentir qu'il faudrait réviser, un peu, ses méthodes pédagogiques.

Aller et retour

J'avais peut-être vingt ans quand je rencontrai François, un garçon plus âgé que moi. Jeune énarque brillant mais d'une nature insoumise. C'est d'ailleurs son rejet des parcours traditionnels et des cercles de pouvoir qui m'avait séduite. Ses santiags aux pieds et un sac à l'épaule, il parcourait les ministères, le regard un peu arrogant et moqueur, l'air de dire : « Je ne suis dupe de rien et je me fiche des diplômes. »

Il m'impressionnait, je le retrouvais toujours le cœur battant et la peur au ventre. Je le pensais capable de m'initier à des jeux défendus. Il aimait les lieux interlopes, je m'imaginais avec lui au comble de la transgression. Je crois qu'il avait une compagne qu'il aimait, mais sa liberté et ses élans n'étaient pas négociables et ne remettaient rien en cause.

C'était pour moi une relation chaotique, forte mais sans lendemain, une sorte d'éducation

sexuelle sans tabou et adulte (du moins, je la supposais telle). C'était excitant et douloureux.
J'habitais encore chez mes parents et nous nous
retrouvions donc où nous pouvions. J'attendais
qu'il me fixe un rendez-vous. Nous étions partis
quelques jours aux confins de la Bretagne, au
milieu de l'hiver. Il aimait les alentours de Saint-
Vaast-la-Hougue, côte un peu désolée... triste à
mourir ! Assise à côté de lui qui conduisait ma
vieille 4L, je cherchais des sujets de conversation.
Mais il se fichait des silences, je le soupçonnais
même de m'en imposer, juste pour m'éprouver. Il
m'attirait mais je me sentais jeune, inexpérimen-
tée et sans intérêt pour lui. Après une ou deux
nuits dans des hôtels sans charme et quelques
promenades sous la pluie, l'inconfort et le malaise
ont gagné le couple étrange que nous formions.
J'étais proche de l'asphyxie. Lui, je n'ai jamais su.

Un matin, j'ai pris ma voiture et, sans oser dire
grand-chose, je suis partie.

Mais la peur et une sensation de claustrophobie m'ont progressivement gagnée, m'obligeant à
m'arrêter à la première station-service. Le souffle
court, le cœur à toute allure, je ne savais plus
comment retrouver mon calme et reprendre le
volant. Je regardais autour de moi, affolée. J'aurais
voulu quelqu'un pour me rassurer... mais certainement pas François, il m'avait trop bousculée.
Il avait testé ma force avec une sorte de sadisme.

Et je n'avais pas résisté. Sauf en m'échappant. Je le payais, naturellement. Toutes les frayeurs et les phobies de l'enfance m'avaient, une fois encore, tétanisée. Je ne sais plus dans quel état je suis finalement arrivée à Paris.

Je n'ai toutefois jamais regretté ma rencontre avec François et, beaucoup plus tard, quand nous avions fait nos vies, je l'ai croisé dans un festival d'été. Nous n'avons rien évoqué, mais nous nous sommes salués joyeusement.

Johnny

Jamais je n'oublierai ce dîner auquel mes amis Anne et Fabrice m'avaient conviée, en présence de Laetitia et Johnny Hallyday. Le couple arrivait tout juste de Los Angeles, épuisé par le décalage horaire, et nous étions passés à table de fort bonne heure.

Johnny...

Ce monstre sacré me surprenait toujours. Sa présence avait pourtant quelque chose de familier, tant il était bienveillant, attentif, affectueux. Les yeux toujours mi-clos, l'air d'un animal qui dort, un peu bougon. Mais il était là, tellement là. Et d'une franchise désarmante.

«Moi, Claire, je l'aime beaucoup», lança-t-il sans que je sache quoi répondre.

Moi aussi, Johnny, je t'aime beaucoup.

Une voix hors du commun, du coffre, un charisme rare. Et une intuition phénoménale du public et des autres, tout simplement. Une grande générosité, aussi. Johnny donnait tout. Comment ne pas l'adorer ?

Il m'a surprise, ce soir-là, en évoquant mon dernier journal, le dimanche 13 septembre, dont le générique de fin rappelait, en un joli montage, les moments les plus marquants de mes vingt-quatre années de 20 Heures. Johnny Hallyday, que j'avais si souvent reçu et si souvent interviewé, y avait donc trouvé une large place. Nous avons eu mille anecdotes à partager, y compris les moments graves, comme ce long entretien enregistré en Californie après son séjour à l'hôpital Cedars-Sinai et son retour d'entre les morts. Il sortait d'un coma, traqué par les médias, et scruté par ses fans. Il souhaitait s'adresser à eux... les convaincre, et se convaincre aussi, sans doute. Car Johnny avait peur : allait-il retrouver sa voix et être capable de remonter sur scène ? Nous avions tenté de le rassurer, installé nos caméras chez lui, et il s'était confié. Les mots étaient cisaillés de manques, mais ils étaient intelligents et lucides. Il avait changé, chassé ses excès, et fui ceux de son entourage qui l'y ramenaient trop volontiers.

Énième renaissance.

Au cours de ce dîner, je mesurai ma chance, tout en ayant conscience que cette période déterminante de ma vie appartenait désormais au passé. Ce qui m'avait portée et fait exister aux yeux des autres, donc à mes yeux, s'éloignait. Combien de fois Johnny a-t-il cru que sa vie allait basculer? Souvent, sans doute. Accident de santé, excès, fatigue après d'interminables tournées. Les doutes ont dû l'assaillir, comme ils taraudent tous les artistes qui ne vivent que dans les soubresauts de la création. Je l'avais vu si souvent sortir un peu lourdement de sa loge, gagner la scène d'un pas traînant, comme épuisé, et empoigner soudain le micro en rugissant. Pour deux heures de concert éblouissantes.

Johnny Hallyday paraissait indestructible.

Un roc.

Voilà pourquoi je restai incrédule au soir de sa mort. Et incrédule encore, dans cette église de la Madeleine, devant laquelle une foule immense s'était rassemblée. Pouvait-il être là, dans ce cercueil blanc autour duquel ses musiciens avaient pris simplement leur guitare? Quatre garçons complices et chaleureux avec qui Johnny avait aimé travailler, et que nous avions osé applaudir. Johnny Hallyday ne chanterait plus jamais avec eux?

J'en doute encore.

Désamours

«Je reste toujours amoureux des femmes que j'ai aimées», affirme Samuel Benchetrit qui, treize ans après le drame, est parvenu à écrire sur la fin tragique de Marie Trintignant. *Une nuit avec ma femme* n'est pas un livre de vengeance, mais d'amour pour Marie. Un livre d'amour pour leur fils, aussi, à qui il a fallu annoncer la nouvelle alors qu'il n'avait que cinq ans. «J'ai écrit pour passer à nouveau un peu de temps avec cette femme (...) et pour dire que je ne peux pas comprendre la violence d'un homme jaloux...»

La violence, les tensions, les incompréhensions, les incessants malentendus... voilà ce qui l'emporte dans mes bouffées de souvenirs amoureux. C'est la peur de souffrir qui me détourne aujourd'hui de l'amour. Ma relation aux hommes ? Antagonique, inégale, embarrassée, inconfortable.

Puisque tout passe

Comme l'écrit Philippe Sollers dans *Centre* : « La mère française, frigorifiée après la Seconde Guerre mondiale, a engendré beaucoup de filles frigorifiées, qui, elles-mêmes, poursuivent le travail d'une frigorification globale.» Mes incapacités et celles de mes partenaires me sautent aux yeux. La littérature contemporaine est pleine de cette impossibilité-là : celle des hommes, celle des femmes, si nombreux à évoquer la séparation et le renoncement. Éternelles «scènes de la vie conjugale» où l'on s'agace, où l'on se lasse, parce que le temps a usé, tout simplement. Passion, désir, il ne reste rien, ou si peu. Faut-il se résoudre à un compagnonnage où l'amour se transforme en association, sans réagir?

Je voudrais répondre par la négative, mais en vérité, je n'ai pas de réponse. J'admire ceux qui abordent à deux la dernière partie de leur vie, profitent main dans la main d'une séance de cinéma l'après-midi ou d'une flânerie dans les librairies. Je les observe en essayant de deviner ce qu'ont pu être leur existence, les obstacles qu'ils ont franchis, pour atteindre ce dernier et tendre équilibre.

Mes parents ont peut-être eu envie de se séparer, l'idée les a certainement effleurés, c'est du moins ce que je redoutais lorsque j'étais petite. Pourtant, bien plus tard, personne n'aurait pu dissuader ma mère de passer la nuit au chevet de mon père, à l'hôpital. Je reverrai toujours leurs mains se joindre maladroitement, leurs visages se rapprocher discrètement. Quand mon père était revenu du bloc chirurgical, je les avais vus soulagés, ensemble ils se savaient sauvés, et ne se lâcheraient plus... Je m'étais éloignée pour les laisser à leur intimité chancelante.

Comment garder la foi, l'envie, cette flamme qui s'allume au détour d'un regard, d'une silhouette, d'une voix, ou d'un seul mot, parfois? Ma génération est-elle condamnée à la désillusion, au célibat assumé, qui est aussi gage de liberté... ou de médiocre tranquillité? Ou de solitude poisseuse?

Chacun s'arrange comme il peut, mais pour moi le temps passe, et je crève de penser que les perspectives s'amenuisent. J'associe, à tort sans doute, l'amour physique à la jeunesse des corps. Me voilà donc forcément perdante, quel que soit mon combat, constant ou acharné. À moins que ma résignation ne m'aveugle?

Mon ami Jean-Paul, qui a le sens de la formule, m'a dit un jour: «Toi, au fond, tu es une athée de l'amour.»

J'aimerais lui donner tort.

Patrick

Patrick m'a toujours fascinée.

De dix ans mon aîné, il dominait depuis longtemps le journalisme audiovisuel quand je suis
moi-même entrée à Antenne 2. Figure tutélaire,
il donnait l'impression d'une immense facilité.
Il me semblait qu'il abordait l'actualité de façon
personnelle, maniant les références littéraires ou
historiques, volontiers moqueur quand il ren-
contrait les grands de la planète, un artiste, un
sportif, ou qui que ce soit d'autre. Intéressé par
son interlocuteur, mais jamais dupe. Sauf, bien
sûr, quand son œil se posait sur une femme qu'il
aurait pu séduire. Il aimait passionnément découvrir le monde, appréhender un être humain, tenir
tête aux plus coriaces. Cela pouvait devenir un jeu
qu'il n'avait pas peur de perdre.

Il avait une voix singulière, une expression nouvelle, il embrassait tous les sujets… Un albatros
qui pouvait parfois avoir du mal à redescendre

sur Terre et à accepter la médiocrité... Un être mystérieux aussi, qui était toujours en partance, prêt à relever quelque défi physique un peu fou, à l'assaut d'une montagne ou sur les mers. Un être qui aimait rester dans la solitude de ses lectures, de l'écriture... de ses nuits blanches. C'était incroyablement séduisant. J'étais intimidée devant sa puissance intellectuelle, mais attirée par les mêmes univers culturels, littéraires. Je crois que nous avions une façon commune de nous exprimer, d'envisager un journal, sa construction, ses hiérarchies, sa présentation. Nous nous adressions aux téléspectateurs avec l'envie de transmettre et de convaincre. Par le regard, les intonations, quelque chose d'indéfinissable que nous n'avions appris ni l'un ni l'autre. Son charme opérait.

Je l'admirais et je suis tombée amoureuse d'un être que je considère encore aujourd'hui comme différent et hors norme. Pas un être avec qui l'on peut construire une vie quotidienne ou une existence apaisée et rectiligne. Un être qui marque une vie. Notre relation fut passionnée, chaotique. Au bout de quelques années d'un amour à demi caché, souvent traqué par certaines publications, émaillé de frissons et de crises, j'ai ressenti, comme un flot irrépressible, le désir d'un enfant, d'un enfant de cet homme-là qui lui transmettrait sa force et le rendrait invincible. C'était une certitude. Non pas l'assurance d'une vie familiale tranquille et organisée, mais la confiance aveugle dans l'idée que notre progéniture, ce prolongement que je souhaitais plus que tout, serait le parfait aboutissement d'un rêve.

Patrick est devenu un père aimant, admiratif découvreur, un père qui ouvre une voie et qui accompagne.

Je l'en remercie.

Le Miracle

«Caryotype masculin normal»: la formule est courte, presque sèche. Quand elle me parvient par le courrier de l'hôpital, elle me rassure, mais je ressens tout à la fois une sorte d'agacement absurde, comme si j'avais espéré qu'on m'annoncerait un patrimoine génétique exceptionnel pour mon enfant. Un génie, un individu rare, voilà ce qu'il sera sûrement, et la science ose le ranger dans la normalité!

J'en souris. Quel bonheur d'avoir maintenant la certitude qu'un petit garçon sans défaut est en train de se fabriquer en moi.

En avais-je seulement douté? Moi qui ai toujours éprouvé mes faiblesses, je me suis sentie forte dès l'annonce de ma grossesse. Indestructible. J'éprouvai une chaleur douce, ce feu couvant au fond de moi, une petite parcelle d'or irradiant calme et sérénité. Les malaises, la fatigue? Je verrais bien. On m'avait annoncé mille désagréments, mais je n'en avais cure. Dès lors que le médecin m'avait précisé que les nausées des premiers mois étaient le signe d'un bébé bien accroché, j'étais prête à tout supporter joyeusement.

Je me rendais à mes consultations dans l'allégresse, oubliant cette peur viscérale de la blouse blanche qui m'avait toujours tenaillée. Bien au contraire, j'y trouvais une famille rassurante, un médecin-chef au regard bienveillant et des infirmières attendries.

J'avais seulement redouté l'amniocentèse, obligatoire passé trente-cinq ans, le moment de la ponction et ses conséquences éventuelles – la fausse couche, comme cela arrive très rarement. Mais le médecin avait accompli un geste si sûr et si rapide que je n'avais absolument rien senti.

Le bébé est assoupi dans son berceau transparent, la tête tournée vers moi. J'en oublie ma fatigue. Les bruits de l'extérieur m'arrivent ouatés, tout l'hôpital pourrait défiler dans la chambre, je ne m'en apercevrais pas. Mon enfant n'a que quelques heures et je l'aime déjà plus que moi-même. L'accouchement? Une journée passée dans l'allégresse, douleur anesthésiée, la plus belle.

Il y avait un peu de monde dans ce que l'on a coutume d'appeler la salle de travail, mes amis les plus proches se devaient d'être là. On a beaucoup téléphoné, beaucoup ri. Chacun s'est installé pour attendre, la future grand-mère lisant distraitement un journal au pied du lit et me prodiguant ses derniers conseils de femme, les copains allant et venant de l'hôpital au bistrot voisin. Entre l'arrivée à la maternité et la naissance, il ne s'est passé que quelques heures qui demeureront indépassables. Un concentré d'émotions, de peurs, d'espérance et d'attente récompensée.

Tous les visages, toutes les mains qui veillent sur moi sont doux et experts. La sage-femme va d'une chambre à l'autre, attentive aux efforts et aux douleurs de chacune. Nous sommes samedi, et le service n'a jamais accueilli autant de monde à la fois. Pourtant, nulle tension, médecins et infirmiers savent ce qu'ils ont à faire : pour eux, donner la vie est aussi banal que primordial. Je voudrais embrasser le personnel, le remercier de se dévouer pour les autres et pour moi, mais je suis immobilisée par les perfusions et un cathéter.

Je ne voulais pas de cette péridurale, je pensais pouvoir m'en passer, comme l'avaient fait avant moi tant de mères, dont la mienne. Mais la douleur est montée dans mon ventre et mes cuisses, elle a envahi par vagues de plus en plus rapprochées mon dos et mes entrailles, et j'ai alors compris que je ne pourrais pas la supporter. Je suis pourtant dure au mal, mais cette fois, il est insoutenable. Comment nos courageuses aïeules ont-elles fait ? Elles ont souffert, suffoqué, sans doute ont-elles cru mourir, puis elles ont oublié, ou du moins fait semblant pour enfanter à nouveau. J'ai appelé à l'aide l'infirmier anesthésiste. Ses gestes sûrs et son imperceptible accent slave m'ont aussitôt rassurée : «Je reviendrai dès que vous en aurez besoin.» Je me sais prête. L'hôpital me rassure. Malgré les efforts surhumains qu'il va me falloir déployer pour donner le jour, je vais bien. La douleur a disparu et j'attends, apaisée. Mes amis et parents sont sortis, me laissant seule avec les médecins. Silence. Sauf les recommandations de la sage-femme qui me donne le tempo, et que je suis à la lettre. Le chef de clinique est là aussi, mais je n'aperçois plus son petit calot vert. Je sens mon corps tétanisé et n'entends plus rien d'autre que mon propre souffle, et au loin, quelques voix douces qui m'environnent.

Je n'ai pas tressailli au premier cri du bébé. Comme s'il n'y avait pas eu de premier pleur, juste une respiration.

Alors qu'on me pose mon nouveau-né sur le ventre, je ne peux contenir mes larmes. Instant unique, plein, où l'être qui arrive au monde est en tous points tel que je le rêvais. Les traits du visage sont aussi fins que ceux d'un ange. Sa petite tête lisse et son corps à peine nettoyé ont trouvé à se loger contre moi pour que mère et enfant ne fassent qu'un de nouveau.

Mes parents nous contemplent, émerveillés, mon père pleure. Ils n'osent toucher l'enfant. En attendant, ils me tiennent la main fermement. Dans ma chambre, le calme est revenu. Un soleil de fin d'après-midi, premier soleil de printemps, éclaire le berceau transparent.

« Mon fils. »

J'étais émue et envieuse, quand je l'entendais dans la bouche d'une autre, et aujourd'hui, c'est à mon tour de le dire.

Il a fallu être deux pour le concevoir, j'ai pourtant le fol et étrange sentiment qu'il m'appartient entièrement, uniquement.

Le téléphone sonne. Pour ne pas réveiller mon petit, je décroche rapidement : « Oui, je suis un peu fatiguée mais tout s'est bien passé, assez vite, finalement... Il est là, il dort à côté de moi... si beau... » Ma voix a changé, elle a baissé d'un ton, je m'entends répondre dans un chuchotement.

Mon enfant est né, il mourra comme moi, comme nous tous. Comment fera-t-il lorsque je partirai ? Et comment survivrais-je, s'il venait à disparaître ?

Je ne survivrai pas.

Voilà peut-être ce qui distingue la femme de l'homme, la mère du père qui ne pourra jamais éprouver cette sorte de fusion, cette incommensurable compassion qui soudain m'a saisie et rendue plus réceptive, plus sensible à mon environnement, à la douleur d'autrui et au monde.

Une image me revient. Celle de cet enfant blond perché sur les épaules d'un homme que je supposais être son père, c'était à Saint-Pétersbourg. La petite tête d'ange bringuebalait au pas de l'adulte harassé. Il mendiait, formant avec son fils un couple tout à la fois magnifique et désespéré, dont la vision m'avait terrassée. J'avais pleuré sans pouvoir m'arrêter. Comment accepter qu'un enfant vive dans ces conditions, privé de tout, de chaleur, de jeux, d'une peluche pour s'endormir... Ce petit était si beau, il avait le front pur sous ses cheveux en broussaille. Quelles pouvaient être ses joies ?

«C'est un peu dans chacun de ces hommes Mozart assassiné», écrivait Saint-Exupéry évoquant l'enfant endormi sur les genoux de sa mère, Polonaise chassée de France dans les trains de l'exode. «Il était né de ce couple-là, une sorte de fruit doré. Il était né de ces lourdes hardes, cette réussite de charme et de grâce. Voici Mozart enfant, voici une belle promesse de la vie.»

78

Autre souvenir compassionnel :
Une petite fille blonde pleure au bord de la tombe. Elle est blottie contre son grand frère, qui ne peut plus retenir ses larmes quand les chants traditionnels espagnols s'élèvent dans la travée du cimetière.

C'est leur arrière-grand-mère que l'on enterre, une femme qui avait pris en charge toutes les générations suivantes avec une égale tendresse de mamie.

C'était mamie, donc, pour ces frères et sœurs de cinquante ans, pour leur mère morte très tôt, et singulièrement, pour tous les derniers de la famille, les plus jeunes.

Quelle étrange succession de vies et de destins, réunis ici un jour doux de février au cimetière de Limoges, immense avec ses alignements de caveaux et ses camaïeux de gris à perte de vue.

Être là pour accompagner celle qui vous a toute sa vie raconté son Andalousie natale, pour soutenir ces magnifiques aïeules, les sœurs de la défunte, debout et fières de reprendre en chœur les chansons de leur enfance au moment de déposer une rose rouge sur le cercueil, être là aussi pour se convaincre que l'amitié est plus forte. Être là pour Philippe, son petit-fils, mon ami, son garçon beau comme un dieu et adoré. Pleurer sur les grands-parents que l'on n'a même pas enterrés, sur le temps qui passe, et son propre effroi devant l'inéluctable, la disparition, un jour, de ceux qui nous ont fait grandir, bien ou mal, dans le plaisir ou la contrainte, mais qui nous ont montré un chemin.

Pleurer à l'idée que les amis choisis – et nous étions tous là –, cette fratrie reconstituée et bien plus solide que les liens du sang, vont quitter un à un le groupe et qu'il faudra leur lâcher la main à jamais. Qui partira le premier ? La question est absurde.

Retour à la maison...

Le grand-père, assis, a replié sa jambe pour loger au creux de son genou le tout petit enfant. Les yeux attentifs, si bleus, sont penchés sur le visage minuscule. Le bébé dort, membres abandonnés, grenouille qui vient de naître. La pièce est blanche et calme, et sous le très haut plafond, ces deux êtres confondus forment la courbe de la vie, l'ellipse de la naissance à la mort. Ni l'homme aux cheveux blancs ni l'enfant ne bougent. Ils sont posés là pour l'éternité, donnant un sens à tout. La mère, c'est moi. Avec mon nouveau-né, j'ai quitté l'hôpital ce matin. Nous sommes rentrés à la maison et c'est comme une deuxième naissance. Avant de partir, le petit a été emmailloté avec d'infinies précautions, comme si l'on craignait que son corps ne

supporte pas le vent et les nuages au-dessus de
lui.

Une plume dans dix épaisseurs de coton et de
laine, et moi, la mère, silhouette déjà menue, qui
l'emporte d'un pas rapide, fière comme une reine.
Nous sommes le centre du monde, moi, avec mon
double miniature, moi devenue deux, prêts au
plus long des voyages.

Le printemps est arrivé brutalement, en une
journée, le temps de la naissance, comme si l'enfant avait chassé le froid et réclamé le soleil en
cherchant le sein de sa mère.

C'est un drôle de miracle, cette douceur de l'air
qui salue la sortie du bébé. Dans la rue règne une
odeur nouvelle, le parfum de la peau rose et des
cheveux fins se mêle à celui des premières feuilles.

Depuis le départ de la maternité, l'enfant n'a
pas bougé. J'imagine un cortège autour de nous,
une pluie de fleurs et de bravos. Je voudrais tout à
la fois montrer mon trésor à la tribu des hommes
et le garder contre moi pour le protéger des
regards et des bruits du monde.

Ça y est, je ne suis plus seule, voyez comme
je lui souris, mais aussi comme mes yeux s'in-
quiètent à la pensée de tenir un être qui ne peut
respirer et grandir sans moi. Il vit par moi, n'est
qu'avec moi, et je lui dois, à mon tour, un nouveau souffle de vie.

Puisque tout passe

Le cœur des nouveau-nés bat vite et celui des mères s'emballe. Un jour, il me prendra par les épaules, c'est lui qui m'accompagnera au volant de sa première voiture, gamin roulant trop vite et sa passagère riant malgré sa peur.

Je suis heureuse comme je n'aurais jamais imaginé pouvoir l'être. Je le contemple et ne peux rien faire d'autre. Comment détacher mes yeux et tous mes sens de l'être sorti de moi ? Regarder mon enfant endormi m'apaise. Il ferme les poings et semble téter quelque chose. Son visage est lisse et fin comme s'il était né sans la moindre difficulté, petit béni des dieux et tant attendu.

C'est immense et infini. L'amour, l'attention. Je suis submergée par une vague chaude.

Chacun découvre l'autre…

Je n'entends plus de bruit dans l'appartement, la chambre de l'enfant est silencieuse rien ne doit en troubler le calme.

Je ne suis pas inquiète, je savoure le moment où chacun mène son existence comme il l'entend, lui et moi, reliés à jamais quoi qu'il arrive, mais déjà autonomes.

C'est un après-midi d'hiver où le ciel blanc de froid permet à peine de se passer de la lumière des lampes.

Mon petit garçon a plus d'un an, mais il dort encore une ou deux heures après le déjeuner. Au réveil, il est toujours joyeux et attend patiemment que l'on vienne le sortir du lit.

Je m'approche doucement, et le regarde par la porte entrebâillée. Ne pas se manifester tout de suite.

Puisque tout passe

Dans la pénombre des rideaux tirés, je l'aperçois, déjà moins bébé, assis le dos à moitié tourné, absorbé par son drôle de lapin musical. Il a la tête doucement inclinée, les épaules un peu rentrées, comme un adulte.

À quelques mètres, je distingue son profil, petit nez petite bouche comme les miens, et la paupière et le front de son père. Un mélange merveilleux. Un concentré de petite personnalité que je pourrais détailler pendant des heures.

Attendre et contempler, suivre de loin l'activité étonnamment organisée de l'enfant. Pourquoi a-t-il décidé de saisir une petite voiture et de la pousser délicatement d'un doigt en suivant un itinéraire bien particulier autour de l'oreiller puis de la couverture puis à nouveau de l'oreiller ?

Que se passe-t-il dans sa petite tête, derrière ce regard sérieux ? Comment envisage-t-il le monde ?

Je sais que je vais passer ma vie, chaque instant, à me le demander. Je ne serai plus jamais en repos, guettant la moindre fatigue, une toux ou au contraire un éclat de rire.

Il y a donc un être sur Terre qui occupe mes pensées, toujours, et qui emplit mes yeux de larmes.

L'enfant se tourne à demi vers moi, me sourit un instant, puis se consacre de nouveau à son jeu.

Il m'a seulement signifié qu'il avait perçu ma présence et trouvé cela naturel, puisque je suis sa mère et qu'il en est tout simplement heureux.

Chacun à sa place, lui dans ses occupations d'enfant, moi attentive. Je suis bien, l'après-midi est doux, ce tête-à-tête avec mon petit me comble, je le sors de son lit et le laisse continuer à jouer. Lui me rejoint parfois dans la pièce où je travaille.

Le voilà capable d'exprimer ce qu'il ressent, la faim, le froid, l'envie de courir.

Vivre avec son double ne me fait plus peur, car il est en âge de tendre les bras vers moi, de prendre conscience de la distance qui le sépare de moi et de l'abolir d'un pas rapide et mal assuré.

C'est un autre dialogue qui s'instaure, le début de l'échange entre humains, qui promet d'être si riche mais si difficile aussi.

La liberté conquise, transmise...

Être seul, c'est être libre, je le sais d'expérience. Mais être libre, c'est aussi être seul – et ça aussi, je le sais.

La solitude effraie – il faut la vivre, pour l'apprivoiser. Aujourd'hui, je suis heureuse de m'extraire du monde, de me retrancher dans un univers que j'ai choisi et soigné, de retrouver le célibat après une vie de couple au début exaltante, mais devenue trop contraignante. C'est le retour au calme, l'organisation de la pensée, le repos, le sommeil apaisé.

J'écoute mon fils me raconter ses voyages en solitaire aux confins de la Nouvelle-Zélande, ses errances à Londres ou à Paris, les spectacles auxquels il a l'habitude d'assister sans éprouver le besoin d'y être accompagné. Au début, cela m'effrayait. Je me suis raisonnée.

Vivre seul paraît lui plaire. À vingt ans, il aime s'arracher au bruit, se perdre dans la lecture, et peut-être même l'écriture (je le suppose, mais n'en ai jamais cherché les traces). Son indépendance, c'est sa force. Je m'en réjouis, moi qui lui ai tant de fois répété qu'un livre peut sauver. Compagnon de joie ou de tristesse en toute circonstance, il nous aide à grandir, et nous rend presque invulnérables.

Voilà pour la solitude désirée, assumée. Mais quel désarroi, au contraire, quand elle est imposée. Le bonheur d'autrui devient enviable et dès lors insoutenable : une famille croisée dans la rue, image vivante de ce que l'on n'a pas su bâtir... Deux octogénaires qui, main dans la main, semblent s'accorder une nouvelle vie, ou récoltent tout simplement le fruit d'une longue union...

Va-et-vient permanent, contradiction. Quelle chance d'être indépendante! Quelle lutte, aussi!

Inutile de rappeler que, pour ces cohortes de femmes de la deuxième moitié du xxe siècle, se lier à un conjoint n'était pas un idéal! Pourquoi se marier à dix-huit ans? Ma mère, qui avait sûrement une furieuse envie de vivre sans contrainte, mais qui n'a jamais assouvi ce désir profond, appréhendait de me voir abandonner mes études pour un homme. Aucun de mes coups de cœur adolescents ne trouvait grâce à ses yeux. Plus exactement, elle s'en désintéressait. Pour elle, une fille devait avant tout tracer son chemin, gagner une autonomie financière et sociale.

Et je lui donnais raison, ô combien ! Elle-même eut très vite un métier et choisit de devenir institutrice pour ne plus dépendre de ses parents. Il lui a fallu bien du courage pour s'exiler si jeune dans un village perdu d'Auvergne. Je l'admirais pour cela. Elle était ensuite devenue professeur de lettres dans un lycée parisien. Mais un professeur certifié, c'est-à-dire vaguement précaire, dont le poste était remis en cause chaque année. Elle avait hélas renoncé à passer l'agrégation, qu'elle aurait sans doute obtenue haut la main. Les rentrées scolaires étaient pour elle une constante source d'inquiétude. Et sans l'intervention de mon père, alors haut fonctionnaire, elle aurait très certainement été envoyée dans un établissement lointain.

Sans doute a-t-elle regretté son manque d'ambition, ou parfois blâmé sa famille, ayant à charge deux enfants. Cette amertume pourrait-elle expliquer sa relative agressivité à mon égard ? Je l'ignore. Elle ne l'a pas formulé explicitement, mais aujourd'hui je comprends que j'ai peut-être incarné, à ma façon, tout ce dont elle avait rêvé.

« Josette voulait s'amuser, elle voulait danser, elle regardait les hommes, elle avait été une petite fille moins disciplinée que sa sœur aînée, morte à l'adolescence de la tuberculose, elle avait fait le vœu de voyager...» Voilà ce que m'avait un jour révélé Yvette, son amie d'enfance. J'avoue que je l'avais écoutée un peu incrédule, tant ma mère m'était toujours apparue sérieuse, craintive, peu entreprenante et effrayée par toute sorte d'aventures. Je me trompais sans doute. Elle avait seulement enfoui ses rêves de jeunesse. Et tant de frustrations accumulées, tant de regrets, ont très certainement nourri les crises d'angoisse contenues, puis explosives, dont elle était périodiquement victime.

Ma mère a souffert. A-t-elle eu néanmoins le sentiment de s'accomplir? Elle avait réussi, comme mon père, à s'extraire de son milieu familial. Élève brillante, elle n'avait ensuite eu d'autre choix que d'embrasser une carrière d'enseignante dans le primaire, acceptant très jeune un poste pour s'occuper d'une classe unique, dans un petit village au cœur de l'Auvergne.

Mon père, aîné de six enfants et fils d'ouvrier chez Michelin, avait suivi le même parcours. Et ils s'étaient tous deux rencontrés entre Brousse et Champroy, probablement dans une fête de village. C'est assez flou pour moi, je leur ai pourtant souvent demandé de me raconter leurs débuts, j'aurais voulu entendre leurs mots d'amour, leurs premiers frémissements, la joie de la découverte, les sentiments naissants... Mais ils étaient pudiques, comme tous ceux de cette génération.

Ils se sont aimés, malgré tout. Ils avaient en tout cas de fortes connivences intellectuelles, un désir commun de s'en sortir, de s'installer à Paris, une détermination folle. Et pour ma mère, la force de prendre en charge, à dix-huit ans à peine, des petits de tous âges, avec un seul poêle pour réchauffer l'école y compris son logis, et affronter la rudesse des hivers, lovée dans des draps trop humides et glacés.

Ma mère avait un chien dans l'ancien presbytère qu'elle occupait. Il la rassurait un peu. Malgré ces conditions difficiles, elle aimait son métier, accompagnait vaillamment ses élèves, de l'apprentissage de la lecture jusqu'au certificat, n'hésitant pas à les prendre sur son porte-bagages pour les conduire le jour de l'examen jusqu'au chef-lieu du canton.

L'école de mon père se trouvait en plein champ. Les enfants s'y rendaient donc à pied, à condition qu'ils ne soient pas retenus par les travaux de la ferme. Mon père leur enseignait toutes les disciplines, y compris le dessin, la gymnastique, la musique... peu importait qu'il fût un piètre chanteur ! L'instituteur était une figure tutélaire tout aussi respectée que le curé du village.

Josette et Jean, mes parents, avaient une vive ambition. Les jeudis, jour de congé des petits, ils effectuaient d'interminables trajets en car pour rejoindre la faculté de Clermont-Ferrand où ils suivaient des cours de philosophie, seule matière compatible avec leur emploi du temps. Ma mère obtint finalement sa licence, mon père tenta l'agrégation. Qu'est-ce qui les poussa alors vers des études supérieures dont leurs familles ignoraient l'existence? Où avaient-ils puisé ce goût pour la connaissance et la spéculation? Je ne l'ai jamais su. Mais cela les a incontestablement soudés, et cela me constitue. J'ai longtemps pensé que le désir de fonder une famille les avait rapprochés: toujours au diapason sur l'éducation, ils accordaient autant le primat aux études qu'à une forme de liberté personnelle. Tous deux tenaient, et ma mère particulièrement, à ce que leur fille soit armée pour affronter la vie et gagne son autonomie rapidement.

Un jour, alors que j'étais enceinte et qu'elle en vint à me parler de ma grossesse – désormais rassurée de me voir surmonter ce moment (que je ne considérais en rien comme une épreuve) sans que ma carrière en soit affectée –, elle m'avoua qu'elle n'avait pas voulu d'enfant.

Je m'en souviens très précisément, elle l'avait murmuré, dans un souffle, sans me regarder, l'aveu était venu de loin... Elle se confiait et parlait si rarement d'elle-même, ne se plaignait jamais, ou si discrètement – d'un froncement de sourcils, d'un soupir saccadé suivi d'une longue inspiration qui trahissait son angoisse.

Cette fois pourtant, elle s'était livrée et elle m'avait saisie. Je la comprenais, bien sûr, et ne la jugeais pas. Quoi de plus légitime pour une jeune femme de l'après-guerre, éprise d'émancipation, intelligente et désireuse de travailler ? Elle pensait sans doute ne pas pouvoir tout concilier. Pendant longtemps, j'avais eu la même conviction.

Heureusement, je n'ai jamais douté de ma place dans la vie de mes parents. Et j'en eus la preuve le jour où j'appris qu'un petit garçon était mort-né quelque temps après la naissance de mon frère aîné, et que la venue d'une petite fille bien-portante, après un accouchement relativement facile, avait été un véritable soulagement pour eux.

J'avais donc été désirée. C'est du moins ce que j'en avais conclu. Je n'ai pas osé interroger ma mère à ce sujet, elle ne l'a jamais abordé. Si mes parents s'épanchaient peu, si l'on s'embrassait peu, ils m'ont au moins offert cette certitude. Et c'est déjà beaucoup. Les mots et les gestes manquaient, certes, mais l'Auvergne, la dureté des temps, les privations de la guerre et bien d'autres choses les dédouanent : cette génération n'avait pas eu l'habitude, ni même la possibilité, de s'exprimer.

Puisque tout passe

Quand ma mère m'entendait dire à mon fils que je l'aimais et le lui répéter à l'envi, elle haussait les épaules, dubitative, incrédule, voire agacée.

Je regrette cependant que cet épanchement maternel soit intervenu ce jour de mars 1995, à quelques semaines seulement de la naissance de mon fils. Je l'accepte, mais il m'a blessée. Et je comprends mieux, peut-être, tout ce qu'elle n'avait su me témoigner lorsque j'étais enfant. Certes, elle avait arrêté d'enseigner pendant quatre ans pour pouvoir m'élever, mais je n'ai gardé aucun souvenir de cette époque et de nos tête-à-tête. Peut-être a-t-elle vécu ce moment comme un sacrifice nécessaire. Femme de devoir, a-t-elle vraiment aimé cette période de maternage peu gratifiant, y a-t-elle seulement trouvé un quelconque plaisir charnel ?

Comment savoir ? Quelles traces garde-t-on de ces premières années ? Des pleins, des manques, des jeux et des peurs. Je suis quant à moi persuadée que tout reste gravé : l'amour des premières heures, les bras qui bercent, l'épaule qui accueille en son creux le front d'un nourrisson façonnent à jamais l'être en devenir. Les expériences menées en psychiatrie le démontrent : deux jeunes animaux nourris de la même façon, l'un en cage, l'autre retenu dans une matière moelleuse, n'ont pas les mêmes chances de survie.

Dès lors, à chacun de se débrouiller avec ce qui lui est donné : câlins, mots murmurés, paroles rassurantes. Mes parents ont fait ce qu'ils ont pu, n'est-ce pas... ? Avec leur propre enfance, les maux de leur génération, et leurs incapacités !

Je me suis trouvé d'autres femmes pour me construire. Les héroïnes libres, les féministes ne manquent pas dans mon panthéon. Elles m'ont guidée dès l'adolescence : Lou Andreas-Salomé, Colette, Virginia Woolf, Simone de Beauvoir...

Je suivais avec passion le couple Sartre-Beauvoir, que j'admirais non seulement pour ce qu'ils écrivaient, mais également pour leur incroyable modernité amoureuse. Aujourd'hui, je les regarde avec davantage de réserve. Derrière l'icône, j'aperçois le dur visage de la romancière, son front enturbanné, sa beauté froide et intransigeante. Elle avait eu beau décrire ses amours de midinette, assez touchantes d'ailleurs, avec Nelson Algren notamment, le mythe s'est effondré lorsque j'ai découvert les *Mémoires d'une jeune fille dérangée* de Bianca Lamblin.

Madame Lamblin avait été mon professeur de philosophie au lycée, je l'aimais beaucoup mais j'ignorais tout de son histoire. Quelle ne fut pas ma surprise lorsque je l'aperçus sur le plateau de l'émission de Bernard Pivot, qui l'avait invitée pour parler de son livre.

Bianca Lamblin avait été non seulement l'élève de Beauvoir, mais aussi son «amour contingente», une parmi tant d'autres de ses conquêtes, puisque Simone eut aussi une relation avec l'une de ses élèves russes, Olga Kosakiewicz, et une idylle avec Jacques-Laurent Bost, l'un de ses jeunes collaborateurs à la revue *Les Temps Modernes*. Le livre de Bianca Lamblin est sans appel. Elle y écrit, à soixante-dix ans passés : «Simone de Beauvoir puisait dans ses classes de jeunes filles une chair fraîche à laquelle elle goûtait avant de la refiler, ou faut-il dire plus grossièrement encore, de la rabattre sur Sartre.»

Lamblin en fit donc les frais : jeune fille candide qui aima, et se crut aimée des deux écrivains dont elle ne soupçonna pas un instant la duplicité. Ses bouleversantes *Mémoires d'une jeune fille dérangée* est le livre-choc d'une disciple et amoureuse déçue, flouée et maltraitée par les deux intellectuels.

Au féminisme qui exclut la différence, je préfère l'émancipation douce.

Avec William Boyd

La littérature m'a offert quelques héroïnes inspirantes. Prenez le roman de William Boyd, *Les Vies multiples d'Amory Clay*. Jeune femme libre du début du XXᵉ siècle, Amory s'essaie à la photographie et devient l'une des pionnières du reportage de guerre. Elle est aussi une femme amoureuse, avide de rencontres, qui nous emmène sur les chemins de l'Europe, et même beaucoup plus loin, jusqu'au Vietnam. Libre, solitaire, courageuse, elle ne baisse jamais les bras.

Son incroyable destin révèle combien l'émancipation des femmes s'accompagne toujours d'une forme de souffrance : le combat est rude pour celles qui veulent acquérir leur indépendance. Amory tombe passionnément amoureuse, exerce son métier sans calculer le danger, au plus près des combats en 1940, et plus tard, à Saïgon. Jusqu'au bout, elle décidera de tout, y compris du moment de sa mort.

Elle a mon âge quand elle reprend ses appareils photo pour regagner les théâtres d'opérations, alors que ses enfants tentent de l'en dissuader. Après la mort de son mari, elle veut se retrouver, et rien ne pourra l'en décourager. Amory est une amazone, une sorte de guerrière, en quête d'authenticité et d'absolu. Elle sera bien sûr courtisée mais repoussera toutes les avances, avec douceur et fermeté. Pas de tiédeur chez Amory Clay, mais une flamme, une fierté et une souffrance assumée.

William Boyd dresse un très beau portrait de cette femme, comme s'il s'agissait d'une amie ou d'une mère qu'il regardait avec tendresse et admiration. Et avec elle, il nous invite à croire en nous-mêmes.

Car Boyd possède une humanité prodigieuse, il sait tirer profit des choses de la vie : il m'emmène déjeuner dans son vieux club anglais au milieu des artistes, des portraits d'ancêtres et des meubles cirés. Il choisit le vin avec soin et me parle de celui qu'il produit dans sa Dordogne d'élection où il séjourne plusieurs mois par an.

Un être charmant et un immense écrivain qui m'a toujours ravie par son humour, son goût, et sa fidélité aux héroïnes modernes.

Mazarine

Dimanche 8 janvier 2006. Mazarine Pingeot est, ce soir, l'invitée du journal de 20 heures. Épilogue d'une journée de commémoration, grave mais chaleureuse.

Elle a commencé à 7 h 45, dans le train pour Angoulême où toute la famille socialiste est allée se recueillir au cimetière de Jarnac. La pluie l'a accueillie, imposant à Laurent Fabius et Hubert Védrine de porter un chapeau, clin d'œil affectueux à l'ancien président, mort dix ans auparavant. En dévoilant la plaque, à l'entrée de la maison natale de son père, Mazarine a souri aux côtés de son demi-frère Gilbert.

Elle s'est ensuite mêlée à la foule, au siège du PS, rue de Solférino, avant son arrivée à TF1.

Mazarine est un peu tendue. Après une grossesse et un livre, la fille de François Mitterrand semble en accord avec elle-même. Je l'observe.

Elle est très belle, amincie, le front dégagé et volontaire, au-dessus d'un regard intense. Les joues légèrement rosies, elle a l'air si jeune, trente ans tout juste. J'en ai presque vingt de plus et pourtant je me sens incroyablement proche d'elle.

Je comprends ce qui l'a poussée à prendre la plume : le désir d'affirmer son identité pour retrouver le droit légitime de parler d'un père qui incarna, loin d'elle, la France pendant quatorze ans, et qu'elle retrouvait alors dans le secret des appartements de la République.

Le secret a marqué, voire hanté sa jeunesse. *Bouche cousue*, a-t-elle ainsi choisi pour titre de son livre salvateur. Fille aimée et aimante, mais qui ne put parler à personne, hormis à sa mère, de sa relation avec un père malade, qu'elle adorait autant qu'elle l'admirait. Elle était pour lui une fille rebelle et tendre : sa promesse.

Je repense alors à cette amie de classe, Frédérique, avec qui je partageais tant, tout croyais-je, nous faisions nos devoirs ensemble, nous retrouvions tous les matins pour quitter la rue Mirabeau et rejoindre le lycée. Malgré notre complicité, elle avait réussi à me cacher, pendant dix ans, l'identité de son père – un père qui avait cloisonné sa vie entre une famille légitime d'un côté, et de l'autre, une femme et sa fille, mon amie, avec laquelle il déjeunait tous les jours.

Frédérique voyait cet homme quotidiennement et je ne l'ai jamais su !

Mazarine Pingeot a décidé, pour ce dixième anniversaire de la mort de François Mitterrand, d'adjoindre au nom de sa mère, celui de son père. Son identité est désormais complète. Elle souhaite assumer cette notoriété écrasante, pour ne pas tomber de ce fil tendu entre son père et ce petit-fils qu'il n'aura pas connu, auquel elle a donné le jour quelques mois auparavant. Tant de questions demeurent pourtant, sur sa propre naissance et sur son géniteur. On n'en a jamais fini avec ses origines.

Mon fils s'interrogera-t-il, s'il ne l'a déjà fait, sur ses premières années, et sur son arrivée au monde ? La question m'obsède depuis le début, et revient comme une morsure alors que je me tiens devant Mazarine.

Que dirai-je alors à mon fils ?

Il n'y a pas eu, il n'y a pas de secrets, mais des non-dits, sans doute.

Je me tiens prête à combler les manques.

Dépression

C'est un été en Provence. Mon fils a quatre mois.

La chaleur ne parvient pas à étouffer mes pleurs. Chaque matin, je me lève épuisée par la peur, et je sanglote.

Pourquoi le soleil, pourquoi sa lumière, mes amis, pourquoi la présence de mon fils ne parviennent-ils pas à me réconforter? Pourquoi tout me paraît-il insurmontable?

J'ai honte alors, honte de me plaindre, honte de cet état de torpeur.

Je suis loin d'imaginer que la dépression gagne certaines mères juste après la naissance, ou surgit plusieurs mois plus tard. Un mal aigu et sournois, difficile à chasser. Je ne le comprends pas, je ne l'avais pas envisagé, toute à l'excitation des premiers temps, aux soins quotidiens et à la contemplation de mon nouveau-né.

Je ne trouve pas le sommeil, hantée par l'idée que je ne vais pas avoir la force de m'occuper d'un enfant qui attend tout de moi. J'ai peur de ne pas être à la hauteur. Si je n'y parviens pas, qui le fera? Une nuit seule avec mon bébé est une épreuve. Sachant qu'il peut se réveiller à tout instant, je veille, recrue de fatigue. Et pourtant, je suis aidée par une précieuse nou-nou, Silvia, qui s'est installée avec nous depuis la naissance!

«Il a l'air grave ce petit», me dit-on parfois; c'est vrai, il ne pleure jamais, pas plus qu'on ne lui voit cette bouille hilare des tout-petits. Que suis-je en train de transmettre à mon fils à qui tout sourit et que rien n'interdit d'aimer la vie? Que le bonheur est une gâterie, un temps volé à l'effort et à la peine. Voilà ce qu'on m'a légué, et à mon corps défendant, je passe le relais.

Nul ne peut ignorer que l'enfant absorbe toutes les émotions de sa mère, et ce, bien avant sa naissance. Les deux premières années d'une vie sont cruciales. Est-ce trop tard? L'ai-je déjà à ce point contaminé?

Pourquoi ai-je les yeux rougis dès l'aube, alors que la journée s'annonce délicieuse? La dépression post-partum. Autant la nommer puisqu'il faut l'accepter. Comme il me faut admettre que je ne saurai totalement épargner à mon fils ma part de fragilité, dussé-je m'appliquer, chaque jour, chaque seconde, à lui donner tout ce que j'ai de plus solide. Les amis qui m'entourent ne comprennent pas mon désarroi. Ils me rassurent comme ils peuvent. On ne naît pas de rien, et surtout pas indemne d'une mère inquiète, elle-même élevée par une mère triste, et abîmée par la mort d'un enfant. Je voudrais pourtant le préserver, et m'attriste de ne pas y parvenir. Je scrute son regard, je surveille son souffle. J'aime par-dessus tout sentir son petit corps apaisé contre le mien. Il fait de longues siestes à l'abri des moustiquaires, et profite de l'air doux sur ses petits pieds nus. Sa nourriture se diversifie désormais, ses nuits s'allongent. Tout va bien, n'est-ce pas ?

Quelles traces gardera-t-il de ses premières vacances, de ses bains délicieux, de cette guêpe qui, un après-midi, le piqua sur la joue, de nos promenades sur les chemins du Lubéron ?

La vie m'aime, mais je n'aime pas la vie : voilà ce que je me dis quand l'inquiétude est trop forte. Petite déjà, je surmontais de sourdes frayeurs. Aujourd'hui, s'y greffe celle de ne pas offrir à mon enfant l'insouciance à laquelle j'ai moi-même tant aspiré.

Puisque tout passe

«De toute façon, une mère fait toujours mal», assertion freudienne que me rappelait encore récemment une amie aux prises avec les foucades et les rébellions de son adolescent. C'est vrai, il y aura toujours ce malentendu originel, cet amour incompris. Un enfant ne peut tout saisir du dévouement maternel. Il le moquera tout autant qu'il bravera l'autorité paternelle. Je n'ai moi-même pas toujours su entendre mes parents.

Pourquoi mon fils ne me reprocherait-il pas ma folle passion, cette tendresse immense que je lui porte depuis le premier jour ?

«Tu m'as étouffé, tu m'as trop protégé, pourquoi m'as-tu imposé cette exigence maniaque, cette discipline excessive... Pourquoi m'as-tu fait connaître tes doutes alors que je n'aspirais qu'à la légèreté ? As-tu à ce point redouté l'existence et le simple fait d'être là ?»

Voilà ce que mon petit garçon me dira plus tard, peut-être.

Non, mon fils, je ne déteste pas la vie... mais cette vie est parfois comme la vague de Virginia Woolf, comme le tempo terrible de ta grand-mère, une cyclothymie affolante et créatrice. Oui, la répétition des jours me fait peur. Je ne suis plus très jeune, et l'énumération des tâches quotidiennes, la vision des objets les plus familiers, toutes ces scènes qui se rejouent et semblent pourtant devoir s'effacer un jour, me poussent parfois vers l'abîme.

Quels souvenirs de l'enfance gardons-nous ? «Regards de l'enfance, si particuliers, riches de ne pas encore savoir», dit Henri Michaux. Pourquoi nous arrive-t-il de les fuir, dans une sorte d'amnésie volontaire ? Et pourquoi passer sa vie à recomposer le passé, à sonder les origines ? Ici, les câlins d'une mère, là, les baisers dévorants d'un père... Et du plaisir, et des rires ? Y en a-t-il eu ? Sans doute, si peu, trop peu.

À mon tour, saurai-je offrir suffisamment d'amour à mon fils ? Lui apprendre à ne pas avoir peur alors que je suis pétrie de contraintes et d'exigences ? Parviendrai-je à le faire jouer ? Je ne sais pas.

Il n'est jamais trop tard pour pardonner à ses parents. Je leur dois tout, ou presque. N'est-ce pas vain de les prendre à témoin de ce qui me tourmente ? Quelle réponse auraient-ils à y apporter ? Aucune. C'est à moi, et à moi seule, aujourd'hui, de les trouver.

D'ailleurs, je leur ferais du mal si je m'y hasardais. Mes mots leur paraîtraient injustes, comme ces reproches que mon fils m'adressera

sans doute un jour, et qui me crèveront le cœur.
Viendra-t-il me crier que je ne me suis pas bien
occupée de lui, que je lui ai fait du mal? Qu'il y a
eu trop d'amour?

Non, il n'y a jamais trop d'amour.

Un bonheur fugace

Pourquoi ne pas me l'avouer : je vais bien. Et même très bien. Au point de formuler ce constat, certes simple et béat, qui s'impose à moi : les choses qui m'entourent coïncident et me correspondent. Je crois pouvoir leur prêter un sens – enfin. Ma mère me répétait souvent, en haussant légèrement les épaules, que le bonheur n'existe pas, qu'il n'est qu'une notion relative. Avait-elle raison de le penser ? Peut-être. J'en ai moi-même accepté l'idée, me satisfaisant des bouffées occasionnelles et éphémères de plaisir, de calme, de sérénité. Avec le temps, j'ai appris à y être attentive. À les accueillir et les vivre, toujours consciente de leur fragilité. Cette fois-ci, pourtant, je ressens quelque chose d'autre. Une sorte de certitude, forte et ancrée.

Je souris en jetant un œil à cette couverture de *Elle* où j'apparais (pour la première fois de ma vie) dans des vêtements clairs. Elle est titrée : « La renaissance ». Il y a peu, j'aurais trouvé l'accroche ridicule, exagérée, caricaturale. Là, je ne me sens pas trahie, j'ose penser que les photos et les textes qui me sont consacrés me ressemblent. Je n'ai même pas envie de me moquer du dossier d'ouverture, un spécial « Rajeunir en beauté » qui m'aurait certainement agacée, en d'autres temps et circonstances.

Suis-je en train – ou sur le point – d'accepter mon âge ?

Mon fils me manque, bien sûr, et quand j'ai raccroché ce matin, après notre conversation quasi quotidienne, ma gorge s'est serrée. Il est loin, je ne le reverrai pas avant plusieurs semaines.

Mais je lui trouve une bonne voix, nous rions ensemble de la petite chronique parisienne dont je lui fais le récit, il a l'air d'apprécier sa vie d'étudiant et la liberté qu'elle lui offre. Je ne perce pas tous ses mystères, mais nous restons très complices. J'en suis heureuse, je lui dis, et toujours lui rappelle que je l'aime inconditionnellement.

C'est avec le souvenir de cet échange matinal que je me suis installée devant la fenêtre pour lire et écrire. Il fait beau, le soleil inonde la pièce, j'aime cet espace de vie que j'ai eu la chance de créer à ma guise. Mon ami Nicolas s'est installé juste en face. Je le sais là, tout près, je peux même l'apercevoir par la fenêtre. Tendre voisinage.

112

Puisque tout passe

La musique m'accompagne partout, grâce à une petite radio portative. Les images d'un récent séjour au Brésil me reviennent sans que je les convoque : les couleurs d'un petit port de pêche, la belle maison de mon amie Linda d'où me parviennent les bruits rassurants du village, la végétation qui déborde dans la mer, la chaleur des nuits, les pieds nus dans la pluie tropicale.

Je me félicite d'avoir vaincu nombre de mes peurs, je n'appréhende plus les départs, les voyages. Au contraire, ces ailleurs me nourrissent aujourd'hui – jamais je ne l'aurais imaginé.

Je ne pense quasiment plus au journal. La mélancolie s'éloigne, je tends vers tout ce qui m'allège, me procure de la joie : le spectacle vivant, la culture sous toutes ses formes – je peux désormais profiter des dimanches pour passer l'après-midi au théâtre, plaisir que j'ignorais jusqu'alors.

Tout prend sa place. Tout semble prendre sa place.

Satisfactions un peu niaises, ou du moins secondaires, diront certains. Peut-être l'aurais-je dit moi-même il y a quelques années, alors en quête d'absolu je ne guettais et n'aspirais à rien d'autre qu'aux expériences destructrices, aveuglantes, recherchant encore et encore l'ivresse des premières fois. Sans cesse à la merci de l'autre dont j'attendais une promesse qui ne viendrait pas, je m'exposais aux déchirements et à la déception.

Je voulais la passion. Fût-elle fugace, illusoire. J'ai désormais le sentiment d'avoir trouvé mon chemin. Une sorte de vérité. Je ne cherche plus à composer avec personne, je n'ai plus besoin de dissimuler, de mentir, de faire semblant d'aimer. Les non-dits asphyxient. Ils tuent même, parfois. Je me sens libre. Et sinon plus heureuse, plus légère. Situation pérenne ? Sursis ?

Sursis, car déjà l'insouciance m'abandonne. Aller et retour, humeurs changeantes, entre exaltation et idées noires, je les éprouve depuis l'enfance. Elles collent, me collent, même si je me débats.

Deux rêves

Rêve n° 1

Un rêve d'égarement et d'abandon.
Un de plus.
Je suis à Manhattan, dans une chambre d'hôtel
avec Mick Jagger. Personnage anguleux, inquié-
tant, au fort pouvoir érotique. Le lieu est décrépit,
suranné, il m'évoque le Chelsea Hotel de Patti
Smith et Robert Mapplethorpe. Nuit noire. Nous sortons. Je ne reconnais pas
les environs, à peine vêtue d'une chemise de
soie blanche, les jambes nues, un pull jeté sur les
épaules. J'éprouve une forme d'impudeur, sans
m'en émouvoir pour autant.
Nous nous dirigeons vers un night-club under-
ground, empruntant des dédales crasseux et un
ascenseur couvert de graffitis.
Soudain, Mick Jagger m'intime l'ordre de
partir, il se sent menacé et se met à courir, d'une

foulée longue et puissante. Je peine évidemment à le suivre, et me retrouve perdue dans une zone interlope... Semée, délaissée. Je n'ai ni téléphone ni argent, tout est resté dans cette chambre d'hôtel dont j'ignore le nom et l'adresse. Personne ne me connaît ici. Aucun taxi ne me prendra, attifée comme je le suis, incapable d'indiquer la moindre destination...

Mon songe s'achève à l'hôtel Sofitel, fameux îlot français de New York (scandaleusement fameux depuis l'affaire DSK), où je retrouve mes esprits et mon sac de voyage. Comment ai-je pu me mettre dans pareille situation...?

Fiction nocturne ou réalité, peu importe, je me le jure : on ne m'y reprendra plus. Non, plus personne, jamais, ne m'abandonnera. Quitte à me perdre, je préfère en décider seule.

Rêve n° 2

Autre rêve, autre confusion, qui sans aucun doute me révèle... mais quels indices y déceler ?

Alors que j'erre avec un ami dans un environnement sordide, une sorte de tunnel désaffecté, nous sommes soudain cernés par la police. Malmenés, insultés, nous sommes ensuite conduits dans un commissariat hostile. Je suis vite relâchée, mais mon ami est maintenu en détention au milieu d'une foule disparate et vaguement inquiétante, parmi des individus déguisés en Drag Queens.

L'identité de mon ami devient soudain trouble, est-il un homme, est-il une femme?

Quel miroir me tend-il?

Quel est-il, ce compagnon dont je peine à distinguer les traits du visage, et que je ne peux même pas nommer?

Son départ

Le portail du manoir de Deauville s'entrouvre lentement... Ma poitrine se serre...

Je revois alors la vieille grille rouillée d'Oppède, par laquelle nous accédions à la maison que nous avions choisie et aménagée à deux, jusqu'au moindre détail. C'était un autre temps, celui des amoureux. Temps d'éternité... ou du moins, que l'on voudrait tel. Mais la vie se charge toujours d'abolir les ‖ fausses croyances : personne ne m'accompagne aujourd'hui alors que je viens passer le week-end chez un couple d'amis. Ils m'accueillent dans leur maison normande, avec cette même complicité, cette même fierté et ce même enthousiasme que j'affichais lorsque je recevais des proches dans notre bergerie de Provence.

Dès qu'elle nous était apparue au bout de l'allée de platanes, nous avions su, Xavier et moi, que nous devions nous poser là. Tout semblait fait pour nous : le palmier un peu incongru de la petite cour, le balcon de la grande chambre au premier étage, la stèle rapportée de Saint-Jacques-de-Compostelle qui ornait le jardin. J'aimais tout particulièrement ses lavandes, et le petit chemin bordé d'oliviers qui menait à la piscine. Lui adorait savoir la montagne toute proche, ce massif du Lubéron que nous avons franchi à pied dans une ascension de plusieurs heures, avec François, vaillant malgré ses sept ans.

Tout y était doux : Noël sous la neige, les déjeuners d'été sur la grande table en pierre, les soirées passées à évoquer sans fin nos projets d'aménagement, nos envies de meubles, d'objets.

À Oppède, nous étions chez nous, plus que nulle part ailleurs. Nous avions depuis longtemps apprivoisé la région. Nos voisins, des amis proches, nous accueillaient toujours avec bonhomie et générosité.

Tout cela m'est désormais interdit, le sera à mon fils, et sans doute est-ce ce qui m'affecte le plus. L'idée de ne jamais retourner à Ménerbes, à Goult ou à Gordes m'est insupportable. J'enrage et j'en veux à celui qui me prive d'une terre que nous avions aimée et élue ensemble.

Il me faudra attendre plusieurs étés avant de revenir sans tristesse dans le Lubéron.

Puisque tout passe

Dans ces instants où le passé m'agrippe, et se teinte d'inévitables regrets, et parfois de rancœur, mon corps se tétanise, je me sens maladroite et tout me devient difficile, jusqu'aux plus simples gestes quotidiens. Les jours s'enlisent, et moi avec. La solitude m'écrase, le manque, il y a trop de beaux souvenirs, ceux-là font toujours mal. Il faudrait ne garder que l'âpreté des derniers temps, les derniers mois d'éloignement et d'humiliante distance. Ne plus fantasmer l'autre – jadis l'amant, aujourd'hui l'étranger –, apprendre à désaimer, apprendre à oublier celui qu'on a étreint, en lequel on a cru... et qui me laisse aujourd'hui chancelante.

Faut-il le détester pour m'en détacher ? Impossible. Hormis quelques accès de rage, la douceur éprouvée jadis est là, indélébile. C'est elle qui me bouscule juste après le réveil, m'accule, me plonge dans l'absurde : je n'ai pas vu venir la fin. Je n'ai pas voulu. C'est lui qui a rompu, me brisant tout net, sans un mot, sans justification, ou si peu. Sa voix était la seule à me combler, tantôt moqueuse, affectueuse, tantôt décidée ou rassurante.

Que fait-il en ce moment ? Qu'éprouve-t-il ? Comment a-t-il pu me lâcher la main, me laisser au bord de cette route que nous tracions si belle, si lumineuse ? Je ne m'y résous pas.

Nous aimions errer sur le port de Bonifacio, vers sept heures, quand la lumière décline. Je n'y retourne plus, pas même avec ceux de mes amis qui depuis toujours m'accompagnent. Sans lui, tant de choses ont perdu leur saveur, les souvenirs collent, polluent, me blessent. Je nous revois...

Je nous revois marchant le long du quai quand le soleil était encore chaud, à l'heure où les bateaux revenaient au port. Je n'aimais rien tant que le retrouver, de retour d'un après-midi en mer, la peau salée, assoiffé. Nous mimions, ridicules et rieurs, les retrouvailles des amants de Lelouche. Nous courions l'un vers l'autre.

Puis nous rentrions en nous agrippant l'un à l'autre, je le tenais par le bras, il enserrait ma taille. Il ne reste aujourd'hui plus rien, plus un seul contact... Plus une épaule qui frôle l'autre, plus une odeur partagée de si près, dans le cou, juste derrière l'oreille. Le vétiver et l'humidité de la douche le matin, une imperceptible transpiration dans la chemise un peu froissée le soir. Tout a disparu en un au revoir sec, sans embrassade. Moi recroquevillée et sèche, lui s'efforçant de redresser la tête, mais un peu gauche pour refermer la porte.

Depuis ce jour, s'est installé le manque, non pas de façon permanente, mais par bouffées, selon les heures du jour ou de la nuit. Le pire n'est pas le soir, sauf quand la musique ou un dîner chaleureux se devraient d'être partagés avec lui comme cela avait été si souvent le cas.

Tout était bien, notre découverte de la Californie, nos longues flâneries dans les magasins de Los Angeles, les nuits blanches de Saint-Pétersbourg ou les soirées en Corse. Le regard porté sur les amis, les commentaires que nous faisions sur nos rencontres mondaines. Je pensais que nous voyions la vie et les êtres humains de la même façon. Je m'étais mariée dans la certitude et l'allégresse. C'était mon engagement. Moi, j'étais comblée par notre histoire à deux, lui sûrement pas... Depuis quand...

Aujourd'hui, je n'aperçois plus ses jambes un peu maigres d'animal toujours actif, ses mains magnifiques qui étaient capables des gestes les plus fous et des bricolages les plus prosaïques, ses yeux moqueurs, si pleins de vie, mais qui pouvaient aussi se poser de très haut sur le monde, comme s'il méprisait tout cela et qu'il était déjà loin.

Certes, il était parfois ailleurs, dans une vie antérieure de fêtes et de jeux, ou dans une existence future qu'il voulait libre à tout prix. Je le sentais s'extraire de mon univers, pendant un moment, non pas physiquement mais comme replié sur lui-même, prêt à sauter. Puis brusquement, d'un coup de reins, il revenait vers moi et me regardait à nouveau.

Puisque tout passe

Je n'ai peut-être pas vu ses envies de départ, je le croyais différent puisqu'il m'avait affirmé avoir changé, s'être posé, enfin, après une vie de cassures, de plaisirs assouvis et d'insatisfaction profonde. Insatisfait, il l'a donc été à nouveau après cinq ans de nous deux, avide à nouveau de sensations, de recommencements.

Je ne pleure plus en écrivant cela, sauf si mon fils vient vers moi, m'embrasse et me rappelle soudain la douceur de l'amour. Je ne pleure pas sur les derniers moments de froide agression, de distance et de rejet. De peur constante du départ, de la fragilité des relations. D'évidentes, elles étaient devenues, pendant quelques mois, terriblement incertaines.

Je pleurerai toujours sur le fait que nous nous étions promis de nous fermer les yeux. Nous n'avons pas tenu cette promesse.

Mon père

9 heures, ce matin. Soudain, la voix de ma mère :

«Ton père ne bouge plus, il est par terre et je ne sais pas quoi faire... – J'arrive.»

Tout se bouscule, le Samu, les pompiers, l'ami médecin au téléphone, mais c'est inutile... Mon père en avait assez, la veille, il avait marché à s'en épuiser, revenant trempé par l'averse. Cette fois était la dernière, et il l'avait peut-être pressenti.

Je songe à sa solitude quand ce moment est arrivé, personne n'était là pour l'aider à s'allonger à respirer une ultime fois...

J'ai regardé ma mère, elle n'a pu dire un mot, quand le corps de mon père est parti, habillé, apprêté, le visage calme.

Nous ne l'avons plus jamais revu.

Elle n'a pas souhaité le garder à la maison, mais nous avons eu quelques heures non loin de lui, dans cet appartement un peu exigu de la rue

Mirabeau où nous avions passé notre enfance et où il s'était aménagé un petit bureau calme. Il y avait toujours dormi entouré de livres. C'est là qu'il était étendu, et j'allais m'asseoir de temps à autre auprès de lui, avec l'envie de lui confier ce que je n'avais pas réussi à lui dire, même dans nos moments les plus proches, que je l'aimais, que je ne voulais pas qu'il souffre, et que j'aurais voulu que nous nous laissions un peu plus aller l'un et l'autre aux tendres confidences.

Quelque temps après sa mort, en rangeant papiers et photos, mon fils avait sauvé un petit carnet écorné, l'un de ceux qu'il gardait toujours sur lui, dans lequel étaient consignées ses dernières réflexions sur moi. Je les ai relues cent fois, décryptant son écriture avec un peu de difficulté, incrédule, tant mon père s'épanchait peu.

Et là, sous mes yeux, la trace de son attachement de papa, de son admiration aussi, quel choc! Je ne doutais pas depuis l'enfance que j'étais toujours dans ses pensées, qu'il y avait un amour inconditionnel quand il m'appelait Korée, ce surnom grec que lui seul utilisait. Mais cette fois, les mots étaient là, et je pouvais les conserver comme on garde la clef d'un coffre.

Nous avions eu quelques conflits, lui et moi, il avait des moments sombres, des humeurs chagrines qui revenaient en cycles réguliers, que ma mère voyait arriver avec terreur, mais il avait une haute idée de mon indépendance, de mon émancipation, et il n'aurait jamais jugé mes premières fréquentations amoureuses, faisant tout, au contraire, pour que je puisse faire mes expériences sans risque. C'est lui qui avait répondu à mes premières questions sur la féminité. Un être tolérant et moderne. À l'église, le jour de son enterrement, chacun a pris la parole, mon fils a lu quelques-uns des poèmes qu'il aimait consigner pour les apprendre par cœur et exercer ainsi sa mémoire, j'ai pu dire qu'il m'avait donné les moyens et la force d'exercer en tous points ma liberté.

Je n'oublierai pas la force de ma mère, ce jour-là, quand elle s'est extraite sans faillir du premier rang pour monter seule au pupitre et lire le texte qu'elle avait écrit sur leurs soixante années de vie commune. Voulait-elle parler d'amour ? Nous ne le saurons jamais. Mais sa voix n'a pas faibli, elle a couvert le silence et sa propre surdité, et a prononcé sans un sanglot l'éloge de son mari. Ils avaient accompli leur vie de devoir, leur vie à deux.

C'est en lisant le livre de David Foenkinos, *Le Mystère Henri Pick*, que j'ai réalisé, quelques années après sa mort, que mon père s'était peut-être suicidé.

Dans le roman, l'un des personnages, âgé et atteint d'une maladie cardiaque sévère, effectue une longue marche sous la pluie, s'épuise volontairement et meurt deux jours après.

La veille du 6 novembre 2012, mon père était allé ainsi au bout de ses forces. Même initiative folle, compte tenu de son état. Comme s'il se livrait une dernière fois à son exercice favori et... fatal pour lui.

L'a-t-il fait à dessein ?

Il m'a appelée le soir, fourbu, essoufflé, et je me souviens de l'avoir trouvé étrangement sentimental, presque exalté. Il me téléphonait rarement à une heure tardive. J'aurais dû lui demander s'il avait besoin de moi, j'aurais peut-être pu sentir l'urgence...

Le lendemain, je l'ai donc trouvé sans vie, tombé sans doute à l'aube au pied de son lit, le front contre terre. Un psychiatre m'a expliqué que ces cas n'étaient pas rares, de patients lassés d'une vie diminuée qui, sans faire un geste définitif, décidaient de renoncer à tout médicament et à toute précaution, pour que tout cesse. Mon père en avait peut-être eu assez, lui aussi. Assez de ces nuits inquiètes, de ces allers et retours à l'hôpital, de ces journées sans plaisir... Peut-être. Nous ne saurons jamais. Je pense souvent à lui. Il n'a jamais su que son petit-fils avait entrepris des études de philosophie, sa matière de prédilection. Je pense que tout cela l'aurait passionné.

J'aurais pu dire bien des choses à mon père. Certaines me reviennent, quand je regarde cette photo prise par sa petite-fille le jour de son dernier anniversaire. Le sourire est un peu contraint, mais ses yeux sont encore vifs. Il arbore une belle chemise, qu'il a sans doute soigneusement choisie pour l'occasion.

Un souvenir a surgi l'autre jour, alors que mon ami Marc-Olivier me faisait part de son dilemme, hésitant entre deux écoles primaires pour y inscrire sa fille aînée. Un choix déterminant, comme chacun sait. Je me suis alors rappelé mon père, qui, apprenant que je n'étais pas heureuse dans mon école – une petite école communale proche de la maison, dont la géographie, l'odeur, le cadre, les visages croisés, l'absence de ciel au-dessus de la cour de récréation, m'avaient d'emblée déplu –, m'inscrivit immédiatement dans un autre établissement. Mon père, pourtant peu complaisant, ne pouvait transiger sur le bien-être de son enfant.

J'y fis donc mon entrée, accueillie par une directrice bienveillante, et passai là cinq années sans nuage.

J'ignore quel homme il fut vraiment. Et je ne mesure peut-être pas tout ce que je lui dois.

Mais je pense à lui chaque jour.

L'amie d'enfance

Nathalie.

Elle est mon amie d'enfance.

Nos liens se sont resserrés à jamais au moment de la mort de sa mère. Cette femme encore très jeune s'était pour ainsi dire rongée toute sa vie. Dure à la tâche, dure avec elle-même et les autres, singulièrement avec ses filles, elle avait avec son mari bâti un empire dans le prêt-à-porter, mais s'était contrainte au travail et à la vie de famille. Pas de relâchement, le tailleur impeccable, Saint Laurent haute couture dès qu'elle en eut les moyens, elle finit par se consumer dans l'ultra-discipline et la rigueur. C'était une femme forte, intelligente, que deux cancers successifs emportèrent.

Sa fille passa le dernier mois d'août auprès d'elle, dans la propriété du Lubéron que ses parents venaient juste de restaurer. J'étais dans la région pour les vacances avec mes plus proches, et nous accueillîmes chaque soir Nathalie, asphyxiée par la maladie maternelle, impatiente de respirer un peu de légèreté vitale auprès de nous.

Je vis alors Nadine, sa mère, pour la dernière fois.

Nathalie et moi nous étions connues à l'école primaire. Une photo de classe nous montre côte à côte, assises au même pupitre, elle, petite tête de clown toute bouclée, moi, une frange sage et les cheveux courts (alors que j'aurais tant voulu les garder longs). Nathalie était aussi espiègle et rebelle que j'étais timide et disciplinée.

Nous nous étions trouvées, et la différence de nos parcours scolaires, plus tard, ne nous sépara jamais vraiment.

Avec ses sœurs, elle était élevée par une gouvernante que je trouvais revêche. Nathalie la détestait, ne manquant pas de le lui signifier, marchant loin devant elle en rentrant de l'école. Elle voulait être seule à pénétrer dans l'appartement familial et à sentir le parfum de sa mère, espérant plus que tout qu'elle aurait quitté son magasin pour déjeuner avec les enfants. C'était rare, mais Nathalie courait, guettant les bras maternels.

Aujourd'hui encore, elle est intarissable sur son enfance, certes très confortable matériellement, mais dépourvue de tendresse, et même martyrisée par une nanny tyrannique et sadique.

Ses parents faisaient confiance à cette femme et n'avaient jamais pris conscience de sa dureté. Le harcèlement avait duré quatorze ans.

Noël 2015. J'ai cru perdre cette amie qui m'accompagne depuis les premières années d'école. Cinquante ans de pensées constantes, d'interminables conversations, de compréhension immédiate, qui auraient pu s'interrompre définitivement faute d'avoir diagnostiqué à temps une méchante pneumonie.

Pourquoi aucun d'entre nous n'a-t-il intimé l'ordre à Nathalie d'aller faire des analyses et les radios élémentaires alors que la fièvre ne baissait pas depuis plusieurs jours ? Je ne l'explique pas. D'autant moins que nous sommes entourés de médecins amis ou parents, et que nous avons toujours été prompts (surtout moi) à multiplier les prises de sang et les consultations. Incompréhensible ! Quand j'ai finalement emmené Nathalie à l'hôpital Bichat, ce lundi 21 décembre, elle ne tenait pas debout et ses globules blancs s'étaient affolés. Le poumon droit était entièrement infecté et la douleur était insupportable. Les antibiotiques à dose massive ont bloqué à temps la septicémie, mais nous avons vite compris que nous étions passés très près. Stupeur, effroi rétrospectif. C'était impensable. Nathalie avait toujours été plus vaillante que tout le monde, prenant en charge les uns et les autres, répondant jour et nuit à ses trois enfants, à moi, à nous... À l'hôpital, alors qu'elle était épuisée, elle arrivait même à écouter les doléances des aides-soignantes qui avaient tout de suite perçu ses aptitudes de coach, d'analyste et de saint-bernard.

Bref, elle était mon double et elle avait failli m'abandonner. Je me suis mise à trembler pour moi, guettant les moindres symptômes, les signes de fatigue... Alors que j'étais sur pied, chaque infime mouvement lui coupait le souffle. Nous en tirerions bien sûr d'utiles enseignements. L'avertissement avait été entendu. Mais quelle épreuve !

Jean-Louis Borloo qui était venu avec Béatrice, sa femme, partager notre réveillon, se souvenait qu'il avait mis neuf mois à se relever d'un mal semblable. Le choc septique l'avait laissé K.-O., le contraignant même à renoncer à ses activités politiques. Un séisme pour lui aussi. Et une leçon de vie et d'humilité.

Le médecin qui nous avait rejoints ce soir-là avait tenté de nous rassurer. Étrange dîner de Noël où, autour de cette si jolie table dressée par Linda, nous nous demandions tous ce que les mois à venir allaient nous réserver. Jean-Louis, philosophe et l'œil toujours brillant, avait repris la cigarette. Nathalie avait tenu une petite demi-heure avec nous sans pouvoir rien avaler. Elle n'avait plus qu'une chose à faire : se reposer et ne plus tirer sur ses forces. Et ça, ce n'était pas gagné.

La fin d'année a été gâchée, Nathalie. Et tu as le droit de te plaindre, même si tu sais, et tu le répètes à l'envi, que rien n'est aussi grave qu'un cancer. Il te faut tout de même apprendre la patience, toi qui veux que tout soit résolu dans l'instant. Impossible aujourd'hui car ton organisme a tant puisé en lui même pour lutter contre la fièvre et l'infection qu'il t'a laissée pantelante, et pour de longs jours. Accroche-toi aux moindres petits signes d'amélioration, à une vie minuscule qui renaît, à un film que tu as pu regarder à la télévision et qui t'a procuré une émotion. Accepte, pour une fois, d'être dépendante pour les tâches matérielles les plus quotidiennes, se nourrir, se laver, s'habiller. Tout est plus lourd, plus lent. Mais tu es en vie, tes enfants vont bien et te disent, par leur attention, combien ils t'aiment. Et nous, nous attendons de pouvoir t'emmener dehors un soir, et de retrouver tout simplement nos douces habitudes.

Je sais que nous allons progressivement, chaque jour un peu plus, reprendre le fil de nos échanges, parfois doux-amers, parfois moqueurs, parfois rageurs et désespérés, sur cette vie à deux que nous n'avons pas toujours su mener. Ces bonheurs d'amour et de désirs, parce qu'il y en a

eu, mais surtout la désillusion, le constat triste
que l'autre peut devenir, soudain, un étranger et
même un ennemi. Le genre masculin est-il finalement notre irréductible contraire, notre source
de tension et même de violence ? Une énigme à
coup sûr que nous n'avons plus vraiment envie
de résoudre. Le temps est passé et il a émoussé
le plaisir de la découverte du désir. Tout cela
s'est transformé en une grande lassitude face à la
conquête amoureuse, la connaissance laborieuse
d'un être qui ne nous ressemble en rien. Un
Himalaya ! Nous n'avons plus le courage.

« Cessons les généralités oiseuses. » Combien
de fois avons-nous mis fin à nos doléances ? Le
discours contre les hommes est détestable, rin-
gard, petit-bourgeois, mesquin. Je crois qu'il ne
correspond pas à ce que nous avons été, à nos
revendications légitimes d'égalité, et tout simplement à notre jeunesse entourée de filles et
de garçons libres et aspirant aux mêmes choses.
Nous avons été féministes, bien sûr, mais sans
exclure l'autre sexe comme le faisaient certaines
militantes acharnées. Nous avons été amoureuses
dingues, passionnées, Dieu merci ! Nous avons
eu de beaux moments avec eux, le cœur qui bat
avant de se revoir, plus rien n'existe que le temps
volé avec lui, la plénitude physique, l'envie de
tout partager, la jolie surprise d'aimer les mêmes
choses... Nous avons même bâti des familles qui

ont tenu la route, tes enfants sont droits, Nathalie, ils forment une merveilleuse et indestructible fratrie. Et tu peux en être fière ! Mon fils est ma récompense, ma chance, je l'admire et l'aime plus que tout. Et je mesure chaque jour le privilège de regarder vivre un garçon de vingt ans, mystérieux et charmant.

Voilà ce que nous avons su faire, chère Nathalie, par amour pour un être que nous avions choisi et auquel nos enfants ressemblent. Même si les chemins se sont écartés, si les couples se sont défaits, non sans souffrances, cette parenté partagée ne sera jamais remise en question. Et cela n'a pas de prix.

Arnaud

Je crois n'avoir jamais rencontré un être aussi pur. Arnaud a l'innocence d'un enfant, la blondeur d'un ange. Une sorte d'incarnation de la jeunesse. Avec lui, je me suis dit que j'étais à l'abri du mensonge et de la duplicité. C'était si rare et précieux. Une beauté de l'âme qui m'a bouleversée.

Notre différence d'âge, près de vingt ans, a bien sûr suscité des commentaires. Peu importait.

Je n'avais d'ailleurs jamais attaché d'importance à l'image que pouvait renvoyer ma vie privée, ni aux tabous sociaux que cela bousculait. J'estimais que mon intimité et une liberté personnelle assumée n'avaient rien à voir avec ma crédibilité professionnelle.

Je n'avais rien à faire du qu'en-dira-t-on. Vivre dans la sincérité me gardait de toute critique.

Avec Arnaud, j'ai retrouvé une forme de confiance, une profonde douceur. Je pense l'avoir aidé à trouver sa place dans un monde qui était souvent trop noir ou trop cynique pour lui.

Bien que nous nous soyons finalement séparés, nous demeurons attachés l'un à l'autre, et conscients de ce que nous nous sommes apporté.

Ailleurs

Aujourd'hui, j'ai envie de foutre le camp. De tout plaquer.

Je suis lasse du parisianisme, lasse des mondanités, de la pensée convenue et de l'ineptie des commentaires sur les réseaux sociaux que je ne consulte pas, mais qu'on me signale à l'envi.

Partir...

Profiter d'une vie simple à la campagne ou tenter ma chance de l'autre côté de l'Atlantique.

Impossible, bien sûr.

J'aime trop ma ville, mon petit coin de Paris, mes amis, mes soirées au théâtre ou à l'Opéra.

Mais l'envie d'ailleurs parfois m'effleure. Je rêve d'une plongée solitaire dans la nature, loin des hommes et de la civilisation, de rompre avec une existence un peu vaine, de m'éprouver pour éprouver ce qui m'anime, et comprendre quelle sorte de foi me porte, quelles croyances... Sans doute en faut-il.

Certains ont eu le courage, ou la folie, de s'exiler... Sylvain Tesson, par exemple, qui a notamment vécu plusieurs mois au bord du lac Baïkal. Le film *Sibérie* de Safy Nebbou en retrace la trajectoire avec Raphaël Personnaz, émouvant et juste dans le rôle principal.

Un film magnifique.

Il décrit la lente acclimatation de l'homme au froid, au bruit de la glace qui se craquelle, à l'intrusion des bêtes sauvages et à ce face-à-face avec soi-même.

L'homme a quitté son travail, sa famille, ses amis, pour se laisser le temps de l'introspection et «se sentir vivant». C'est ce qu'il explique à un vieux braconnier russe qui a fui la justice de son pays et qui s'est isolé depuis plus de dix ans aux confins de la Sibérie. Et un tête-à-tête simple et bouleversant s'instaure entre ces deux êtres si différents, qui n'échangent que quelques mots au début, mais qui partagent le même amour de la montagne et du lac gelé, qui vont s'entraider, et même se sauver de la mort, car tout est risqué dans ces contrées reculées et inhospitalières.

C'est un défi sublime, à la fois primal et métaphysique. Une aspiration à aller vers le vrai, le pur qui peut vous dépouiller, vous perdre mais aussi vous nourrir.

Into the Wild ne raconte pas autre chose, à travers la trajectoire de ce jeune héros tragique, en quête d'absolu, qui rompt avec sa famille, sa jeunesse, et se laisse happer par la mort. J'avais été bouleversée par le film de Sean Penn et surtout ébranlée de voir mon fils à mes côtés, alors jeune adolescent, s'émouvoir et se laisser tenter, peut-être, par cette quête aussi belle qu'insensée.

Il a ensuite beaucoup aimé *Sibérie.*

Le savoir seul sur les routes de Nouvelle-Zélande ou du Vietnam me terrifie, m'affole, et tout à la fois, force mon admiration.

Quel cran !

À quoi pense-t-il en parcourant les villes et les campagnes, un sac léger sur l'épaule ?

Est-il seulement heureux ?

Sombre dimanche

Dimanche, octobre 2015.

Voilà que, pour la première fois, je déteste ce jour honni de tous les écoliers, pensionnaires et autres employés déprimés à la perspective de reprendre le lendemain matin une laborieuse routine.

J'avais, en somme, eu la chance de ne jamais connaître le repos dominical. Presse écrite ou télévision, l'information ne s'arrête pas et m'avait tenue en haleine tous les week-ends depuis le début de ma vie professionnelle. Et j'avais toujours adoré le dimanche soir, vécu comme une petite libération avec le sentiment de la tâche accomplie et dans l'attente joyeuse du lundi savouré à ma guise dans une ville active et vivante.

Aujourd'hui, ma journée est en creux, vide jusqu'à la nausée.

Plus de journal à préparer, les heures sont grises, passées loin de cette petite équipe qui se serrait les coudes dans une rédaction clairsemée et un bâtiment déserté. Nous faisions bloc avec les deux rédacteurs en chef, Germain et Cyril, solides, sérieux, et dotés d'un humour à toute épreuve. Mes amis. Il manque quelque chose, le corps et l'esprit réclament leur nourriture de 20 heures. Et comme tout sevrage qui commence, il glace les os et rend aboulique. Pas la moindre envie, mais des gestes nerveux et maladroits.

J'aurais dû bourrer ma journée d'activités, de rendez-vous, d'obligations. Au lieu de cela, l'après-midi est interminable.

Il faut sans doute vivre le moment, accepter l'engluement passager comme une épreuve nécessaire, une transition initiatique.

Ne nous explique-t-on pas qu'il est bon parfois de s'ennuyer, que les enfants apprennent à rêver, à réfléchir dans l'inactivité, qu'il vaut mieux ne pas les occuper à tout prix... mais je ne suis plus une enfant! Et petite, je ne m'ennuyais jamais, j'avais toujours le refuge de la lecture. Aujourd'hui, rien à faire, je ne peux même pas prendre un livre, fixer mon attention sur quoi que ce soit. Oppressée, je guette les appels comme jamais, me sens inutile, incapable, illégitime dans tous les projets de reconversion que je passe en revue jusqu'à l'obsession.

Bien sûr, j'avais anticipé ce moment. Plus exactement, le sachant inéluctable, je souhaitais

pouvoir m'y préparer, organiser le départ, le maîtriser. Pas un soir de week-end, depuis quelques
mois, où je n'ai pas pensé, en descendant l'escalier
qui me menait au plateau, à l'ultime fois où j'aurais à me cramponner à la rampe pour éviter une
chute juste avant l'antenne. Je m'accrochais pour
ne pas tomber, mais sûrement aussi pour ne pas
lâcher tout ce que j'aimais depuis si longtemps :
décrypter l'actualité, la hiérarchiser, tenter d'en
apprécier les temps forts, expliquer les faits bruts
et leur donner une perspective, mettre en valeur
le travail d'un groupe de journalistes, écrire pour
transmettre, convaincre, intriguer, faire réfléchir,
parler de ce qui m'intéresse et de ce que j'aime,
regarder la caméra pour imposer le silence dans
une famille rassemblée devant son poste, pour
prendre le public par la main et lui raconter une
histoire, pour le séduire aussi.

C'est tout cela que j'ai appris au fil de ces
longues années de télévision. Peut-on seulement
parler d'apprentissage quand ce métier qui paraît
facile, s'impose peu à peu, imperceptiblement,
avec les années, tout simplement, et l'accumula-
tion insensible de micro-tests et d'énormes défis,
d'épreuves inédites et de situations douloureuses
ou joyeuses, mais toujours surprenantes à affronter en direct.

Le direct confère une électricité et une inten-
sité particulières à l'émission, quelle qu'elle soit.

Il est irremplaçable. Il crée l'émotion collective et l'impression pour le téléspectateur de participer à une agora virtuelle. C'est ce qui construit le lien. Et pour le journaliste, ce qui constitue une expérience unique, faite de peur, de trac et d'excitation, mais qui surtout lui donne une inexplicable solidité. Le regard se pose avec plus d'assurance, les épaules se détendent et le ton est plus juste. Parce que tout simplement le temps a fait son œuvre.

Entre les premières éditions du petit matin, présentées au tout début sans réel entraînement mais avec la foi et l'envie, et ce dernier journal de 20 heures, une vie s'est écoulée, d'innombrables changements politiques, les soubresauts personnels, familiaux, sentimentaux, les bouleversements du paysage audiovisuel... Tout cela a façonné mon travail, l'a installé et, je crois, fait progresser. En repassant ces images désuètes, démodées dans la forme, de mes premières apparitions, je ne suis pas choquée par le décalage. Les ingrédients, me semble-t-il, étaient là, comme si j'avais, contre toute attente, bravant la timidité que mon éducation et mon tempérament m'avaient insufflée, trouvé mon métier.

Qu'en reste-t-il aujourd'hui ? Le média, par sa puissance, m'a-t-il seul conféré ce statut ? Moi qui ai toujours attaché beaucoup de prix à l'écrit, à la trace profonde que laisse la littérature, au caractère sacré du livre que l'on peut relire, reprendre, conserver précieusement, quelle valeur conférer à l'expression à la télévision ? À ce moment fugace, à ce langage quotidien, à ces images qui s'effacent instantanément, à une forme de brutalité de pensée ?

Que restera-t-il de ce qui a coulé comme du sable au fil des journaux ? Je ne sais vraiment pas.

La question ne trouve qu'une réponse à la fois dérisoire et essentielle, quand je croise les regards et les sourires dans la rue, et que m'enveloppe une grande bienveillance. Ce lien existe, il est fort, il me plaît et me réchauffe le cœur.

Traversant le jardin des Tuileries, au cours de l'un de mes premiers dimanches oisifs, je me suis surprise à guetter la reconnaissance anonyme, à espérer ces petits harcèlements sympathiques, ces échanges sur un coin de trottoir avec quelques téléspectateurs fidèles. Une façon de se raccrocher à quelques repères simples, moi qui suis désorientée aujourd'hui, sans boussole professionnelle et donc personnellement dévalorisée, ou plutôt décentrée.

Je marche en regardant les jeunes couples, les moins jeunes qui se tiennent la main, les familles occupées à regrouper les enfants, toute cette humanité qui peuple la ville des fins de semaine et que j'avais désappris à croiser depuis des années. Je n'avais arpenté les rues de Paris, avec beaucoup de bonheur d'ailleurs, que les jours où chacun vaque à ses occupations, souvent seul ou pressé de regagner un bureau ou de rentrer chez soi. Je constate que l'on peut aussi flâner à deux, prendre son temps, choisir ensemble une destination de promenade, l'émailler de pauses pendant lesquelles on s'embrasse.

Je ne suis pas sûre d'envier les autres, mais j'ai la triste impression de n'avoir pas appartenu à leur univers, de devoir apprendre à les regarder et donc de vivre aujourd'hui à côté de moi-même.

Je pense trop et mal en ces mois d'octobre et novembre, je pense sombre malgré cette étonnante douceur du temps et du ciel qui incite aux longs déplacements à pied. J'ai du temps, mais j'en profite sans joie, trouvant même que l'exceptionnelle chaleur ajoute à l'étrangeté du moment.

Sale année 2015, qui aura vu la mort de ma mère, le départ de mon fils du nid que nous occupions tous deux, et l'arrêt d'une carrière. Tout cela est dans l'ordre des choses, peut-être, mais je ne m'y résous pas.

Ma vie était organisée avec, il faut bien le dire, l'incroyable privilège de concilier l'exaltation professionnelle et une très grande liberté. Je mesurais ma chance chaque jour de pouvoir rester auprès d'un enfant, le découvrir, le choyer pendant la semaine et d'exercer un métier choisi. Un quart de siècle passé à suivre les soubresauts du monde, tout en accompagnant passionnément un fils jusqu'à ses vingt ans et son émancipation. Tout s'est emboîté, tout a trouvé sa place, la grossesse, la naissance, l'école, les efforts pour s'imposer dans une grande chaîne et auprès du public. Le souvenir des combats, de la peur, de la compétition s'efface derrière l'impression d'allégresse qui a toujours prévalu.

Désormais, je n'ai plus de point d'appui, j'en cherche un autre, et pour rester en équilibre, je n'ai d'autre choix que d'imprimer un mouvement permanent, un peu désespéré, à mon corps et à mon esprit.

Marc-Olivier

Au plus fort de la tourmente, quand la fin de TF1 m'a été signifiée, un jour de septembre 2015, je me suis accrochée à mes amis pour ne pas sombrer.

Marc-Olivier n'a jamais failli. Il connaît ce métier et la brutalité d'un milieu auquel nous appartenons l'un et l'autre depuis longtemps. Il en connaît les grandeurs et les petitesses.

Il sait écouter, apaiser. Il est à la fois mesuré et concerné. Il remet toujours dans le bon chemin, avec une immense indulgence.

J'ai rarement rencontré un être aussi profondément intéressé par l'autre. Et aussi différent, en réalité, de l'image que ses premiers pas à la télévision ont pu lui conférer.

Sa vraie nature, pleine d'humanité, s'est d'ailleurs révélée peu à peu avec la maturité professionnelle. Combien de fois l'ai-je appelé en pleurs, incapable, pensais-je, d'affronter les tout derniers 20 Heures ? Je le sais prêt à me défendre bec et ongles. Nous nous faisons confiance. C'est tellement précieux.

11 Septembre

Patrick doit officier à 20 heures comme chaque soir de la semaine.

Par hasard, je déjeune à TF1. Et soudain, tous les visages se tournent vers les téléviseurs allumés en permanence que nous ne regardons généralement que distraitement, comme ça, pour jeter un coup d'œil sur LCI.

Les images du ciel bleu au-dessus de New York, des tours du World Trade Center et d'un avion volant beaucoup trop près de Manhattan nous intriguent, d'abord. Puis, tout s'agite, se crispe, se fige. Nous ne comprenons pas.

De retour à l'étage de la rédaction, l'incrédulité laisse place peu à peu à une effroyable certitude : l'impensable a fauché le monde occidental, une guerre que l'on ne connaît pas nous a été déclarée. Elle est en cours dans des conditions inconcevables pour nous qui nous croyions à l'abri des conflits depuis cinquante ans. Et elle n'en est peut-être qu'aux prémices ! Combien d'avions derrière les deux appareils qui ont touché les tours jumelles, combien de commandos prêts à passer à l'attaque dans d'autres villes américaines ou sur notre propre territoire ?

Les journalistes s'organisent, se répartissent les tâches, sans même qu'un ordre leur soit donné. Je les ai toujours vus ainsi, immédiatement concernés, mobilisés, sur le qui-vive et prêts à s'emparer de tous les événements majeurs.

Le 11 Septembre est d'une autre dimension.

Nous n'avons pas l'intention de lâcher l'antenne. Jour et nuit, les présentateurs se succèdent. Pour ma part, je m'installe sur le plateau à 21 heures. Et le lendemain... jusqu'à ce que chacun sorte de la sidération.

Je me souviens d'avoir souffert physiquement, comme jamais, d'avoir eu à décliner l'horreur. Vidéos vues et revues jusqu'à l'écœurement, questions sans réponses, incompréhension devant ces destins de terroristes, ces parcours prémédités et macabres. Les reporters sont tout de suite dépêchés aux États-Unis, Patrick veut lui aussi tenter de présenter un 20 Heures de New York. Mais la plupart des aéroports américains sont fermés et les premiers témoignages ne nous parviennent qu'au bout de quelques jours. En attendant, nous exploitons la moindre photo et le moindre récit disponibles, ceux des pompiers qui se sont rués dans les tours en feu, soldats héroïques, ceux des Français qui s'étaient rendus comme chaque matin dans leur bureau du World Trade Center et qui, heureusement, se trouvaient aux étages inférieurs, mais qui n'oublieraient jamais leur lente descente par les escaliers obscurcis par la fumée... Actes de sauveteurs improvisés, exploits des uns, gestes désespérés des autres... Nous ne cessons de raconter.

Autour, la vie n'est plus la même. La France est loin mais elle se sent attaquée. Mesures de sécurité, contrôles, conversations inlassables. Je ne m'apaise qu'en me transportant par la pensée vers cette petite maison que nous venons d'acheter en Provence. Je me dis que là-bas rien ne pourra nous atteindre.

Notre peur quotidienne et ce sentiment permanent de malaise ne se sont estompés qu'au bout de plusieurs mois. Comme l'a écrit plus tard, après que la France fut elle-même frappée, Yann Moix dans son livre *Terreur* : «Nous traversons une réalité gangrenée par le mal et contaminée par la peur. Une réalité qui n'est pas abstraite, mais qui est là, en bas de la rue, prête à faire de ce matin notre dernier matin.»

Après le 11 septembre 2001, rien ne serait plus jamais pareil.

La mort de Yitzhak Rabin

Mes dimanches sont à réinventer. Ils s'écoulent lentement, dans une sorte de torpeur. La ville paraît immobile, un peu figée, alors que toute ma vie, c'est le bruit du monde que j'écoutais et qui parfois m'assourdissait.

L'actualité joyeuse, ou dramatique, quotidienne ou exceptionnelle, des retours de vacances aux tempêtes apocalyptiques, ne s'est jamais arrêtée.

En ce mois de novembre 2015, je regarde le beau film d'Amos Gitaï qui retrace les dernières heures du Premier ministre Israélien Yitzhak Rabin assassiné en plein meeting sur la grande place de Tel-Aviv. Il décortique les faits et l'enquête, et je revois tout : la stupéfaction quand la nouvelle tombe le matin, les débuts d'explications, l'implication rapide d'un Juif extrémiste, les espoirs évanouis de ceux qui voyaient en Rabin le seul artisan du rapprochement israélo-palestinien.

Toutes les espérances s'écroulent. Après les accords d'Oslo, la planète avait cru enfin à cette poignée de main entre Rabin et Arafat, tous deux prix Nobel de la Paix. Et c'est Rabin qui l'avait imposée à son pays. Son beau visage au front haut et au regard clair et pénétrant avait balayé les réticences. Mais il en restait, bien sûr, dans ce pays perpétuellement inquiet pour ses frontières et sa survie. La droite allait pouvoir compter ses forces.

En cette fin 1995, la décision avait été vite prise à TF1. «On part et on fait le journal demain soir en direct de Jérusalem», avait décrété Étienne Mougeotte, soudain aux commandes comme chaque fois que l'actualité devenait impérieuse. Il était parmi nous, journaliste passionné et impatient de nous inoculer son virus. Mon ami Pascal, son plus proche collaborateur, avait dû le convaincre de me confier la couverture de l'événement. La chance m'en était donnée.

Nous avions donc pris l'avion du groupe Bouygues dans la nuit pour arriver aux premières heures du matin et préparer l'édition spéciale du soir. Choix du lieu de direct, des participants au débat, tout le bureau de Jérusalem était sur les dents. Et je me revois, épuisée et taraudée par un épouvantable mal de dos, assister avec ferveur aux obsèques de celui qui était devenu le centre du monde.

En quelques heures, la cérémonie avait été organisée, les grands dirigeants étrangers étaient présents, entourant la veuve Leah Rabin d'une immense dignité.

Nous voulions un cadre à la hauteur de l'événement, et nous avions installé nos caméras au pied de la vieille ville de Jérusalem. Dans une nuit d'encre, je me retrouvai assise au milieu de nulle part, sur des sièges de fortune, mais dans un décor somptueux qui nous ramenait aux origines des civilisations et aux confins des religions.

Quelques invités autour de moi, dont Nissim Zvili, le chef de l'opposition travailliste. Car tout cela, bien sûr, est politique, au-delà du choc et de l'immense émotion. Il s'agit de l'avenir du gouvernement israélien, de la nouvelle majorité qui va se dessiner, des complicités éventuelles dont a pu bénéficier ce jeune Juif extrémiste qui a tiré sur Rabin, et, pour tout dire, des dernières possibilités de retrouver un artisan politique de la paix au Proche-Orient.

Pour Amos Gitaï, qui avait accompagné Rabin à Washington pour cette poignée de main historique avec Arafat, la gauche israélienne n'a pas su reprendre le flambeau aujourd'hui. La droite, par ses appels à la violence et ses complicités avec les religieux intégristes, avait créé il y a vingt ans un climat propice à l'assassinat. Et il y a désormais bien peu de chances de croiser un homme aussi charismatique et courageux que Yitzhak Rabin pour porter la paix, dit Amos Gitaï qui aime son pays, continue à y vivre et à y créer, mais désespère de l'avenir de la région.

Après ce journal spécial, intense, difficile, nous avions retrouvé François Léotard, ministre de la Défense et représentant de la France. Dîner au King David, soulagement pour moi et sentiment d'avoir franchi un obstacle énorme. Pour lui une grande émotion, lui, l'ami d'Israël qui avait été fait, quelque temps avant, docteur honoris causa de l'université de Haïfa.

Comment oublier la beauté de ce pays blessé ?

Diana

Depuis quelques semaines, je décrochais le téléphone la nuit, y compris les week-ends, pour éviter les appels anonymes qui se multipliaient et qui m'empêchaient de dormir. Réflexe peu raisonnable, j'en conviens, pour une journaliste censée être toujours disponible et intervenir à l'antenne 24 heures sur 24, si l'actualité l'exige. Mais je n'en pouvais plus, et rétablissais donc mes lignes vers 7 heures du matin, en écoutant les premières informations à la radio.

C'est ainsi qu'en ce dimanche 31 août 1997, j'appris la mort tragique de Diana. Les médias du monde entier la commentaient depuis plusieurs heures déjà. Le drame avait eu lieu au petit matin, à 4 h 25 exactement.

La voiture dans laquelle la princesse de Galles avait quitté le Ritz avec Dodi Al-Fayed s'était encastrée à très vive allure dans un pilier du tunnel de l'Alma. Le chauffeur avait probablement perdu le contrôle du véhicule, pris en chasse par une nuée de paparazzi. Diana avait succombé à ses blessures. Cela s'était passé en plein cœur de Paris, à quelques centaines de mètres de chez moi.

Le téléphone s'est mis à sonner. Xavier me cherchait. Tout le monde me cherchait à TF1. La rédaction s'était encore une fois mobilisée très tôt. Spécialistes et reporters avaient pris place sur le plateau. Le décès brutal de Lady Di à trente-six ans secouait la planète.

Diana avait tout d'une héroïne. Elle incarnait la beauté, la jeunesse. Sa vie sentimentale agitée, sa détresse bien connue au sein de la famille royale et son divorce un an auparavant avaient défrayé la chronique. Et voilà qu'elle perdait la vie aux côtés de son riche amant, laissant deux enfants de quinze et treize ans orphelins. Sa mort tragique achevait de forger le mythe.

Nous l'aimions.

Comment ne pas l'aimer ?

Les éditions spéciales allaient se succéder sur toutes les chaînes, plusieurs jours durant. Rarement un tel événement, à la fois tragique et romanesque, glamour aussi, avait occupé une si large place sur nos antennes, et tenu en haleine des équipes entières de journalistes et plusieurs millions de téléspectateurs. TF1 avait immédiatement pris la mesure du phénomène.

J'arrivai donc dans la rédaction un peu gênée, voire honteuse de mon retard... Il y régnait une certaine effervescence, mêlant stupeur et concentration. Nous avons consacré à la princesse de Galles deux longues éditions, à 13 heures et 20 heures.

J'avais rencontré Diana et dîné avec elle peu de temps auparavant, à l'ambassade de Grande-Bretagne. Nous étions une douzaine autour de la table. Mince, athlétique, et vêtue d'un long fourreau grège, elle était venue seule, s'était assez peu exprimée, baissant souvent les yeux sur un sourire énigmatique. Je n'avais bien sûr échangé que quelques mots avec cette jeune femme à la tristesse insondable. Mais j'en avais gardé un souvenir très net.

J'espère avoir su, en ce dimanche de deuil, restituer sa grâce et rendre hommage à une personnalité fascinante, injustement décriée par la monarchie britannique, parce qu'elle était trop belle, trop libre et adulée par le monde entier.

Omaha Beach

J'avais choisi une veste d'un rose foncé, pensant que la couleur se détacherait dans le ciel de Normandie, à la tombée du jour, sur l'une des plages du débarquement allié.

À la tombée du jour, ou plutôt à 20 heures précises, puisqu'il s'agissait de mon tout premier journal en extérieur, en situation. Une épreuve considérable pour moi, en cette année 1994, cinquante ans tout juste après les événements de la Seconde Guerre mondiale. Mais une épreuve exaltante dont chaque instant, chaque émotion me restent gravés.

C'était un dimanche soir et nous étions là, cadreurs, techniciens, journalistes, directeur de TF1, pour faire revivre les heures les plus sanglantes mais libératrices de 1944.

Il faut dire que tous les dirigeants de la planète avaient fait le déplacement de Sainte-Mère-Église et Omaha Beach. Depuis le matin, un ballet d'hélicoptères avait transporté la reine d'Angleterre, Bill Clinton, François Mitterrand et Édouard Balladur. Cohabitation oblige, les deux têtes de l'exécutif français étaient présentes. Personne ne manquait à l'appel du souvenir. Hommage devait être rendu à ces centaines de milliers de soldats américains, britanniques, une poignée de français aussi, qui avaient pris la mer pour libérer le Vieux Continent de l'avancée allemande.

Tous les récits des survivants étaient glaçants : nous savions que ces jeunes militaires, qui n'avaient parfois que dix-huit ans et qui souvent ne connaissaient rien de la France, bien trop loin pour eux, de l'autre côté de l'Atlantique, avaient vécu un véritable enfer. L'attente dans les barges par une tempête épouvantable, les médicaments contre le sommeil qui décuplent le mal de mer, la terreur sous le feu de l'ennemi, les morts par centaines sur des plages minées ou au flanc des falaises que l'on escaladait sous la mitraille allemande.

Ce fut une boucherie. La jeunesse et l'innocence fauchées sur des kilomètres de rivage normand. Mais ce fut aussi le tournant de la guerre et nous devions remercier les soldats morts pour notre liberté.

Les tombes alignées dans le cimetière de Colleville-sur-Mer témoignaient de leur courage et de leur sacrifice.

C'est tout cela que nous avions voulu restituer dans notre édition spéciale. Et nous avions
filmé, bouleversés, chaque parcelle de cette terre
encore marquée par les stigmates des combats.
Beauté sauvage de la pointe du Hoc, des plages
de galets et de ces murs de glaise abrupts qui les
surplombaient. Les croix blanches à perte de vue,
les blockhaus affleurant dans les creux du bocage,
les ciels changeants, tout le décor du 6 juin 1944
nous avait replongés dans la légende des héros du
Débarquement.

Nous ferions de notre mieux pour évoquer
leur souvenir sur l'antenne de TF1 qui, ce jour-là
comme d'autres, faisait œuvre utile. Nous y par-
ticipions, et j'étais fière quand l'hélicoptère de
l'armée nous avait nous aussi déposés près de
Caen.

Toute la journée passée à sillonner la région,
à nous faufiler entre les escortes des chefs d'État,
et à faire revivre les événements, s'est déroulée
dans la concentration, une certaine peur, mais
aussi une grande allégresse.

Jusqu'au journal présenté en direct sur la plage
d'Omaha Beach, moi silhouette minuscule, luttant
contre le vent, le jour déclinant et les fiches qui
s'envolent.

C'était un beau moment, peut-être imparfait
puisque c'était une première expérience pour
moi, mais fondateur.

Et quand nous avons redécollé pour Paris, le devoir accompli, le survol doux de la Normandie ont effacé tous les efforts et toutes les tensions.

Isabelle, intense, lumineuse…

Isabelle Adjani l'affirme dans un cri :
« Mais oui, je vais jouer Phèdre ! Tout le monde m'en parle ! Je vais finir par le faire ! »
Adjani, ou la passion incarnée.
L'héroïne de Racine éprise de son beau-fils Hippolyte et follement jalouse, c'est elle ! Patrice Chéreau en était convaincu et lui avait proposé le rôle. Quelle promesse ! Hélas, Isabelle Adjani avait renoncé, laissant la place à Dominique Blanc, formidable, d'ailleurs, en fille de Minos et Pasiphaé.
Je n'ai manqué aucune de ses apparitions sur scène, je l'ai aimée d'emblée, dès que j'eus l'âge d'aller au théâtre. Elle est depuis lors demeurée l'une de mes héroïnes. Inaccessible, parfois plus proche, mystérieuse toujours.
Quel don, quelle aura. Ses premières apparitions sur scène en témoignent déjà, dans *L'École des femmes*, *Port-Royal* ou *Ondine* à la Comédie-Française. Elle était si jeune. J'aurais voulu lui

ressembler... ou seulement partager ses émotions, courir avec elle en coulisses, goûter un peu à cette vie de comédienne, faite de trac, de fureur et d'oubli. Qui ne s'est jamais rêvé derrière le rideau rouge, imaginé fouler les planches, se perdre dans les loges, et, le temps d'un spectacle, s'offrir la possibilité d'être un(e) autre ?

Et que dire des textes, sublimes, qu'elle visite, mieux, habite depuis toujours ? La voix d'Adjani, intacte, grave, sensuelle, les porte avec une grâce où se mêlent la fragilité et la force. Sur scène, comme à l'écran d'ailleurs... Inoubliable, dans *L'Été meurtrier*, *La Reine Margot*, ou *La Journée de la jupe*.

J'ai eu la chance de la recevoir sur le plateau de TF1. Ses apparitions sont rares. Combien de fois l'ai-je vue fuir la lumière trop crue d'un dîner ? Isabelle aime les atmosphères feutrées. De retour sur scène dans une pièce contemporaine, elle venait ce jour-là en faire la promotion, évoquant son rôle de femme mûre éprise d'un jeune journaliste.

J'aurais aimé l'interroger sans fin, sur ses films, ses douleurs d'amante, ses espoirs et ses peurs.

Nos fils (le plus jeune pour Isabelle) sont nés la même année, nous en avons souvent parlé ensemble, évoquant les ravages de la notoriété, la difficulté de grandir et d'exister à l'ombre de parents singuliers, et la nôtre, à panser ces blessures que nous aurions souhaité leur épargner.

Isabelle Adjani me touche depuis le premier jour, intense, lumineuse et perdue, je la vois comme une enfant que je prendrais par la main et que je supplierais de ne jamais arrêter de jouer.

Là-bas, c'est dehors...

Quand Patrice Chéreau est mort, j'ai eu le sentiment, et nous étions si nombreux à le ressentir, que je perdais l'artiste qui incarnait le mieux ma génération et ses aspirations. Il nous précédait, me montrait une voie originale et forte, me saisissait toujours. Pour tout dire, je lui devais mes plus grandes émotions de théâtre et d'opéra.

Son compagnon de travail, Richard Peduzzi, m'explique un jour qu'il a décidé d'écrire pour comprendre un peu mieux le sens de sa vie et de son engagement artistique. Il avait voué son existence au dessin... Mais les mots sont comme des signes que lui, l'autodidacte, voulait pouvoir maîtriser. Et avec quel talent. Son livre, magnifique album illustré de ses dessins, de ses maquettes et de photos, est intitulé *Là-bas, c'est dehors.* Titre aussi beau qu'énigmatique, choisi parce que sa mère, en prison, lui dit qu'elle le retrouvera très vite dehors. «Et dehors, c'est là-bas!» Voilà ce qu'entend le petit garçon qui va être confié à ses grands-parents et qui va s'élever un peu tout seul, cultivant par lui-même ce don extraordinaire pour le dessin et la peinture.

La rencontre avec Chéreau, un soir de 1967, au théâtre de Sartrouville, bouleverse sa vie. Il lâche le chevalet pour imaginer en trois dimensions les décors des plus grands spectacles. La scène est alors son lieu de création, elle est comme une cage qui doit s'ouvrir sur l'extérieur, un univers clos qui doit laisser imaginer l'ailleurs. «Là-bas, c'est dehors.»

C'est ainsi que ces deux hommes si différents, l'un terrien et chaleureux, Richard Peduzzi, l'autre torturé, inquiet, intransigeant, Patrice Chéreau (enfin, c'est ainsi que je me le représente), se sont rencontrés par le plus grand des hasards. Ils avaient vingt ans et ils n'ont ensuite cessé de cheminer ensemble, couple fécond ô combien et à jamais lié à ce qui fut pour nous la quintessence du spectacle vivant.

Le dernier opéra mis en scène par Chéreau, *Elektra*, fut un sommet. C'était au festival d'Aix en 2013. Le metteur en scène était alors très malade et, aux dires de tous ceux qui l'approchaient, luttait sans cesse contre la douleur. La direction d'acteurs avait toujours été pour lui un corps à corps, un engagement physique total au plus près des comédiens et des chanteurs. Cette fois, il avait dû puiser dans ses dernières forces pour nous donner l'une de ses plus belles œuvres. Et c'est dans un élan de tout son buste qu'il vint saluer, accroché aux artistes, souriant. Dernier instant de vie et d'action, immortalisé par les photographes. L'image nous fut distribuée le jour de ses funérailles, à Saint-Sulpice. Je la conserve toujours.

Et je suis heureuse d'avoir osé le retrouver dans les coulisses du Grand Théâtre de Provence après la représentation. Il était adossé au mur dans le couloir des loges, répondait par un hochement de tête aux innombrables bravos. Je lui ai présenté d'un mot mon fils, je voulais que François le voie, et je l'ai embrassé furtivement en le remerciant.

J'ai eu la chance de le rencontrer à plusieurs reprises, chaque fois je lui ai dit mon admiration. Je ne peux pas dissocier de lui ma passion pour le théâtre, l'opéra ou le cinéma. *Ceux qui m'aiment prendront le train, La Reine Margot, Persécution, L'Homme blessé, La Solitude des champs de coton, I Am the Wind, Rêve d'automne, La Maison des morts*... Il faut lire son livre-testament, *Des visages et des corps*, publié au moment de sa carte blanche au Louvre.

J'ai été portée par lui.

Je n'aurais pas pu aimer la culture sans lui.

Il m'impressionnait et m'attirait.

Je le sentais à la fois exalté et douloureux, exigeant, dans une attente permanente, dans une sorte d'impatience qui m'intimidait.

Je l'imaginais dans un questionnement sombre sur la vie, et son existence, jalonnée par les années sida et par la perte d'innombrables êtres jeunes, l'impose comme l'un des phares de ma propre quête.

L'autre guide

Je ne crois pas avoir eu la vocation du journalisme. Étudiante, j'ai plutôt tâtonné, passant le concours d'entrée à HEC sans vraiment savoir ce que j'en ferais par la suite. Une grande école complétée par l'université, des stages ici et là, quelques entretiens d'embauche dans des entreprises... puis l'envie d'écrire.

Je ne connaissais personne dans les rédactions parisiennes. Philippe Tesson, alors directeur du *Quotidien de Paris*, m'a reçue un jour et m'a embauchée sur-le-champ. Je n'ai jamais vraiment compris pourquoi. Mais à peine entrée dans cette équipe naissante, artisanale et libre, je me suis sentie à ma place.

Le service économique était à construire, nous avions peu de moyens, des machines antiques sur lesquelles nous tapions à deux doigts, mais nous vivions dans une exaltation permanente.

François Mitterrand venait d'être élu, nous avions à peu près tous voté pour lui, mais Philippe avait décrété, le soir du 10 mai, que son journal se rangerait dans l'opposition. Une opposition radicale, sans complexe, portée par des plumes brillantes, à commencer par celle du directeur. La moquerie, la dérision, et l'absence de concession, voilà ce qui guidait un journal financièrement indépendant. C'était notre force.

Nous nous prenions au jeu de la critique et je crois que nous avons débusqué plus d'un scandale. Il faut dire que les premiers errements de la gauche avaient fini de balayer nos scrupules et nos vagues idées socialistes.

C'était joyeux, intense, gonflé. Il fallait tout faire, prendre la responsabilité de pages entières, surveiller le bouclage. J'étais jeune, débutante, et voir mon nom au bas d'un article sur lequel, par hasard, un voyageur du métro se penchait non loin de moi, me comblait.

C'est là que j'ai appris et aimé mon métier.

Philippe Tesson m'avait fait confiance. Son esprit frondeur et son insatiable curiosité me guident encore.

Du Bataclan à Œdipe le tyran

J'avais rendez-vous avec François Hollande à 18 heures 30, ce vendredi 13 novembre. Nous nous étions confiés l'un à l'autre, comme nous le faisions régulièrement depuis que nous nous connaissions, c'est-à-dire depuis plus de trente ans. Lui, chef de l'État, nos dialogues n'avaient jamais changé de nature. Ce jour-là, je lui avais surtout parlé de moi, de mes pertes de repères depuis que j'avais dû renoncer au journal, de mes manques, de mon sentiment d'inutilité. Lui d'ailleurs avait admis être un peu désorienté les samedis, au début de son quinquennat, privé de ses tournées régulières en Corrèze. Bien sûr, la conversation avait porté sur l'impuissance du monde face au terrorisme, sur la difficulté qu'avaient la plupart des dirigeants de la planète, y compris Obama et la chancelière allemande, à prendre la mesure du phénomène, à intervenir concrètement et efficacement. Il n'était pas sombre car d'un naturel jovial, mais concerné. Je l'avais laissé partant au Stade de France pour le match France-Allemagne.

J'avais rejoint, quant à moi, un dîner d'anniversaire. Vers 22 heures, un coup de téléphone avait semé la stupeur parmi les convives. Mon ami Germain m'intimait l'ordre de ne pas sortir. Des attaques que l'on supposait terroristes ensanglantaient Paris, de Saint-Denis aux quartiers de la République et de la Bastille. François Hollande avait été exfiltré de la tribune, il tenait une réunion de crise au ministère de l'Intérieur, et un véritable massacre était en cours au Bataclan.

Le choc.

Depuis de longs mois, la police redoutait des attentats, notamment dans des salles de spectacle... et nous y étions. Le pire tant redouté était à l'œuvre. Combien de victimes déjà ? Plusieurs dizaines. Des kamikazes avaient tiré dans la foule au cours d'un concert de rock et les commandos s'apprêtaient à donner l'assaut.

Le chef de l'État, blême, s'exprimait pour dire l'horreur de la situation. Je pensais à mon fils, heureusement à Londres, mais qui aurait pu être l'un de ces jeunes visés aveuglément par les kalachnikovs, par la froide détermination de ces candidats au jihad haïssant la France.

Nous nous sommes insensiblement serrés les uns contre les autres, regardant les fenêtres d'un air inquiet, vaguement rassurés par la présence toute proche des gardes du corps de Christine Lagarde qui se trouvait parmi nous.

Nous avons passé une partie de la nuit devant la télévision, incapables, comme toujours en ces occasions, de nous détacher des rares images de carnage et guettant la moindre tentative d'explication.

Comment faire alors son travail de journaliste, mettre à profit les efforts déployés depuis tant d'années pour montrer, décrypter la macabre répétition des actes terroristes dans le monde ? La rédaction de TF1 devait être à pied d'œuvre, chacun proposant naturellement ses services quelle que soit sa spécialité.

Cette fois, je n'en serais pas.

Soulagée, certes, de ne pas avoir à commenter les pires images, les scènes de guerre. Mais terriblement triste de ne pas participer à ma manière à l'indignation et à la solidarité collectives. Que pesait ma frustration par rapport au drame des victimes et de leurs proches ? Rien, bien sûr ! Mais me revenaient tous ces moments de concentration, de trac, de peur, associés aux trop nombreuses éditions «spéciales attentats» : les bombes qui explosent dans le métro parisien en 1995, le 11 Septembre où nous n'avons guère, je le disais, quitté le plateau pendant trois jours, l'attaque de

Charlie Hebdo, puis celle de l'Hyper Cacher, le tueur du musée juif de Bruxelles.

Nous nous transformions en guerriers de l'information, en modérateurs des émotions aussi, essayant de filtrer les images les plus choquantes, mais de ne rien omettre des faits et analyses.

Il fallait trouver le ton et le registre justes entre compassion et neutralité froide. Impossible de cacher alors que nous nous sentions tous concernés, effrayés aussi, pour nous-mêmes, nos enfants, nos amis. Plus rien ne serait semblable et notre avenir était désormais obscurci.

Ce 13 novembre 2015, j'aurais voulu ajouter ma modeste contribution à ce combat collectif contre la barbarie. De témoin actif, de passeur d'informations, je me trouvais transformée, contre mon gré, en citoyenne impuissante.

Nous avions eu la chance de grandir dans un pays épargné par les conflits, protégés au sein d'une Europe pacifiée, et nous nous trouvions désormais face à un ennemi dément, aveugle, inconnu et meurtrier. Une guerre innommable.

Une semaine tout juste après les massacres de Saint-Denis et du Bataclan, la salle du Théâtre de la Ville était bondée. Nous nous serrions tous dans l'attente de la représentation d'*Œdipe le tyran*, la tragédie de Sophocle, retranscrite par Hölderlin. Personne n'avait renoncé, visiblement, malgré la peur diffuse que nous n'osions pas trop avouer. Le directeur du théâtre, Emmanuel Demarcy-Mota, remercia d'ailleurs avec force le public d'être là en dépit des menaces sur la ville.

Étrange représentation où nous ne savions pas s'il fallait admirer les images saisissantes du metteur en scène Romeo Castellucci, ou réaliser que la violence entre les hommes était déjà contenue dans la mythologie grecque. Les vidéos d'Œdipe se crevant les yeux au moyen d'un acide paralysant pour ne plus voir ses forfaits, le meurtre de son père et l'inceste avec sa mère, ont pris ce soir-là une terrible résonance.

Sans doute le grand théâtre classique tiré des mythes anciens retrace-t-il sans exception la folie meurtrière, le désir de vengeance des dieux, les passions destructrices…, mais il fait partie d'une irremplaçable culture, cette culture que les terroristes ignorants veulent abattre, des temples de Palmyre aux amateurs de rock, et qui reste, malgré tout, le rempart suprême contre la barbarie.

La sœur

Toute ma vie, mes amis m'ont portée, nourrie, accompagnée.

D'aussi loin qu'il m'en souvienne, j'ai toujours eu une compagne d'école avec qui partager les trajets et les devoirs, une petite voisine pour le jeu, les vacances et les premières boums, et des bandes de copains à l'adolescence. Je cultivais volontiers les tête-à-tête propices aux confidences sur les parents ou les premières amours. Mais j'aimais aussi faire partie d'un groupe, de garçons de préférence. Nous écumions les cinémas du Quartier latin ou les théâtres de la périphérie.

Mes parents m'ont toujours laissée libre de choisir mes fréquentations, même s'il leur est arrivé d'en désapprouver certaines.

Ce que je sais, c'est que je n'ai pas été une enfant solitaire, liée à Nathalie, Isabelle ou Frédérique. Ensemble, nous avons embrassé la vie.

Je crois avoir été très tôt consciente du prix de l'amitié. Donner pour recevoir, passer du temps avec l'autre pour pouvoir appeler au secours à tout moment, rechercher la loyauté pour se sentir confiant... c'est parfois un effort et toujours une récompense. Rarement une déception.

Si Nathalie reste mon amie d'enfance, Isabelle fut ma sœur. Ses parents, ma deuxième famille. L'ayant confié à un journal un jour, j'ai sûrement chagriné mon père qui m'en a fait la remarque. Et pourtant, je trouvais chez les Raynaud, nos voisins du 7ᵉ étage, la chaleur du Midi, les chamailleries entre frères et sœurs, et les disputes qui s'effacent vite.

C'était la vie, une mère un peu artiste qui avait l'air de rire de tout, et un père toujours prêt à vous emmener faire le tour du grand canal à Versailles, pêcher les oursins en Corse, ou admirer Jean Piat dans *Cyrano* à la Comédie-Française. Je leur dois une forme de légèreté, une curiosité, une certaine façon de faire fi des contraintes.

Au 2ᵉ étage, chez nous, l'atmosphère était infiniment plus studieuse, peu expansive. Mes parents, il faut le dire, avaient eu une enfance beaucoup moins facile et avaient gardé de leurs origines modestes, la coutellerie ou la couture à la chaîne du côté de ma mère, les usines Michelin du côté de mon père, une grande prudence devant la vie. Le sens de l'effort avant celui de la fête ou même des petits plaisirs de l'existence.

Avec Isabelle, nous circulions d'un appartement à l'autre, des engueulades et des embrassades au 7e, au sérieux et aux repas silencieux au second.

Isabelle trouvait chez ma mère le calme et une attention aux besoins d'un enfant : le goûter à heure fixe, la préparation des devoirs. Chez elle, elle était la benjamine de quatre enfants, il fallait suivre les plus grands et se débrouiller.

J'ai grandi sous cette double influence, régularité et fantaisie, austérité et bohème.

Curieusement, ma vie d'adulte a finalement été ô combien plus zigzagante que celle de cette sœur adoptive poussée comme une plante sauvage, mais infiniment plus attachée que moi à la famille.

Gérard

Je me souviens précisément du jour où j'ai rencontré Gérard, qui devint instantanément mon double, mon confident, mon frère et, bien plus tard, le parrain de mon fils. Il était le plus original des attachés de presse du CNPF, passé par les cinémas Olympic de Frédéric Mitterrand, moqueur à l'égard de toute forme d'institution mais sachant nouer des liens singuliers et forts avec les journalistes. Il plaisantait sur tout, y compris sur les injonctions d'Yvon Gattaz, son patron, mais le message passait.

Frondeur par nature, il s'était vu confier les rédactions les plus récalcitrantes, autrement dit celles de *Libération* et du *Quotidien de Paris*. Je venais d'être embauchée au service économique de Philippe Tesson et je tombais donc dans son escarcelle.

Nous avions pris notre premier rendez-vous professionnel au siège du journal, un petit immeuble de l'avenue de la République, où régnait un joyeux désordre, et une envie collective d'en découdre avec le pouvoir, quel qu'il fût.

Ce jour de janvier 1982, Gérard s'était extirpé d'une vieille Austin, la cigarette au coin des lèvres, la mèche grisonnante malgré ses trente ans et l'air malicieux de celui à qui on ne la fait pas. Nous avons parlé quelques minutes du patronat et des entreprises mises à mal par la gauche récemment élue. Nous n'y croyions pas vraiment, et sommes rapidement passés à d'autres sujets, à ces passions que nous partagions déjà : le cinéma, le théâtre, la danse, l'amour... Nous n'avons plus jamais interrompu cette conversation.

Gérard ne cherchait pas les responsabilités, il voulait avant tout s'attacher aux personnalités avec lesquelles il travaillait. Avec lui, j'ai appris à connaître François Léotard, qu'il a accompagné dans son ascension politique, puis dans son éclipse. Ils n'étaient pas vraiment du même bord, mais s'entendaient sur l'amitié, les sentiments, l'horreur de la trahison, les valeurs fondamentales.

Grâce à Gérard, j'ai aussi noué une amitié forte avec Renaud Donnedieu de Vabres. Il savait tout de ma vie personnelle, il est peut-être celui qui me connaît le mieux. Nous débutions et nous étions enthousiastes, riant de tout, heureux de monter pour la première fois les marches du Festival de Cannes, en partageant une chambre d'hôtel plus que modeste. Nous n'étions pas jaloux alors de ceux qui fréquentaient déjà les palaces de la Croisette. Nous avions, je crois, la certitude qu'un jour, nous y aurions accès.

C'est Gérard qui m'a initiée à l'opéra, il aimait les grandes voix et les metteurs en scène audacieux. Nous avons nourri une commune fascination pour Patrice Chéreau. Nous sortions beaucoup, un soir sur deux au Sept. Nous y apercevions Noureev, Yves Saint Laurent, l'univers homosexuel était le nôtre. Avec le goût de la fête dans un premier temps. Puis, hélas, la maladie qui toucha nos plus proches.

Gérard s'est occupé d'un jeune homme qu'il aimait passionnément, Xavier, sans comprendre au début le mal qui le tuait. Guettant avec terreur l'avancée des stigmates sur la peau, l'amaigrissement, l'épuisement. Les hospitalisations se sont rapprochées. Renaud était déjà là et, avec Gérard, ils lui ont tenu la main jusqu'à la fin. Cela les a certainement liés à jamais.

J'avoue avoir un peu fui tout ça, la maladie, la mort qui rôde. Par peur et par lâcheté.

Le sida a marqué nos trente ans. Nous étions cernés.

Gérard n'a pas cessé de se moquer de la vie, mais une forme d'amertume a balayé l'insouciance.

Épilogue

Un livre, mais pourquoi?

Pour ne pas oublier, pour témoigner, pour dire l'affection, pour raconter la vie, nos vies, ma vie.

Une existence, certes jalonnée de déceptions, de brisures d'amour et de passages à vide. Mais épargnée par les injustices et les drames qui auraient pu me pousser à tout remettre en cause. Nulle catastrophe personnelle qui donne l'impression de l'absurde.

Depuis quelques années – marquées par la mort de mes parents, l'envol de mon fils, et mon évincement de TF1 –, je vois l'horizon se resserrer. Et je tente de chasser l'idée du vieillissement. Je me bats. Comment envisager la fin sans appréhension, fût-elle encore loin…, et surtout: sans penser à la tristesse qui étreindra mon fils le jour où il sera orphelin?

Ai-je réussi ma vie? Aurais-je pu en avoir une autre?

Il m'est arrivé d'imaginer des alternatives, sans pour autant jamais regretter ce que le hasard m'avait accordé. Je me suis parfois égarée, mais toujours, je me suis retrouvée. Explorer mes peines est le contraire des regrets.

Sartre l'a écrit : « On peut toujours faire quelque chose de ce qu'on a fait de nous. »

Je regarde ce que j'ai accompli et je mesure ma chance : j'ai su être follement libre.

Libre d'exercer un métier de passion, libre de creuser mon sillon, de croire en l'amour, de ne pas me soucier de l'opinion, de choisir mes amis, sans concessions.

J'ai eu la chance d'avoir un fils.

Ma génération a traversé des orages et des crises, mais ne s'est pas abîmée dans la mélancolie. Elle est allée de l'avant, elle s'est émancipée.

Voyage surprenant, douloureux quelquefois, mais toujours fécond.

Un privilège, sans doute.

Il faut le reconnaître, il faut même s'en réjouir… Puisque tout passe.

Cet ouvrage a été imprimé par
CPI BRODARD ET TAUPIN
pour le compte des Éditions Grasset
en avril 2018

Composition Maury-Imprimeur

PAPIER À BASE DE
FIBRES CERTIFIÉES

Grasset s'engage pour
l'environnement en réduisant
l'empreinte carbone de ses livres.
Celle de cet exemplaire est de :
600 g Éq. CO_2
Rendez-vous sur
www.grasset-durable.fr

N° d'édition : 20415 – N° d'impression : 3028570
Dépôt légal : mai 2018
Imprimé en France